EMC Español

2

¡Aventura!

Workbook

Karin D. Fajardo

EMC
Publishing

ST. PAUL • LOS ANGELES • INDIANAPOLIS

.al Director

.dro Vargas

.ject Manager

.arisse Litteken

Production Editor

Amy McGuire

Care has been taken to verify the accuracy of information presented in this book. However, the authors, editors, and publisher cannot accept responsibility for Web, e-mail, newsgroup, or chat room subject matter or content, or for consequences from application of the information in this book, and make no warranty, expressed or implied, with respect to its content.

We have made every effort to trace the ownership of all copyrighted material and to secure permission from copyright holders. In the event of any question arising as to the use of any material, we will be pleased to make the necessary corrections in future printings.

ISBN 978-0-82193-991-8

© 2009 by EMC Publishing, LLC
875 Montreal Way
St. Paul, MN 55102
E-mail: educate@emcp.com
Web site: www.emcp.com

Printed in the United States of America

16 15 14 13 12 11 10 09   2 3 4 5 6 7 8 9 10

Capítulo 1

Lección A

1 Crucigrama

Haz el siguiente crucigrama.

Horizontales

4. Algunas personas navegan en la internet para conseguir _____.

6. Con el _____ puedes llamar desde cualquier lugar.

7. El _____ de esa página Web empieza con www.

Verticales

1. Ecología, matemáticas y geografía son _____.

2. La tecnología nos permite estar conectados con todo el _____.

3. Usamos el _____ para enviar cartas por computadora.

5. Puedes mandar un documento por _____.

2 La tecnología en nuestras vidas

Completa las siguientes oraciones, usando el presente de los verbos de la caja. Sigue el modelo.

MODELO   Nosotros <u>navegamos</u> en la internet todos los días.

~~enviar~~	jugar	escuchar	navegar
~~conseguir~~	~~leer~~	querer	comprar
usar	poder	hablar	preferir / decir

1. Yo _____*digo*_____ que la tecnología es buena.

2. Mi madre _____*consegue*_____ mucha información en la internet.

3. Mi abuelo _____*lee*_____ el periódico digital *La Nación*.

4. Mis primos en España _____*navegan*_____ la internet para enviarnos fotos.

5. Matilde _____*compra*_____ ropa, joyas y libros por internet.

6. Yo _____*envío*_____ un e-mail a mi amigo en Argentina.

7. Uds. _____ conmigo por el celular.

8. Nosotros _____*eschuchamos*_____ en directo la radio de muchos países.

9. A ti te gusta escribir cartas, pero _____*prefieres*_____ escribir e-mails.

10. Mis padres _____*quieran*_____ comprar otra computadora.

11. Ramiro _____*juega*_____ al ajedrez con su computadora.

12. Mis amigos y yo no _____*podemos*_____ vivir sin la tecnología.

3 ¿Qué están haciendo?

Mira el siguiente dibujo y di lo que están haciendo las personas. Sigue el modelo.

MODELO   Josefina <u>está viendo la televisión</u>.

1. Yo _____.

2. El perro _____.

3. Paco y Toño _____.

4. La abuelita _____.

5. Tú _____.

4 ¿Qué sigue pasando?

Completa las siguientes oraciones con la forma apropiada del verbo **seguir.**

1. En Cancún _____ haciendo calor.

2. Tú _____ hablando por el celular.

3. Nosotros _____ buscando el vínculo del club ecológico.

4. Pedro y Sara _____ escribiendo e-mails.

5. Yo _____ haciendo compras, pero esta vez por la internet.

6. Mi hermano _____ estudiando diseño en la universidad.

7. María y yo _____ enviándonos chistes por e-mail.

5 ¿Qué van a hacer?

¿Qué van a hacer estas personas durante el fin de semana? Escribe oraciones combinando elementos de cada columna. Sigue el modelo.

MODELO   Guillermo va a visitar un museo.

A	B	C
Guillermo	ir	la información que necesita
yo	navegar	al cine
Inés y tú	visitar	a diseñar páginas de Web
Lorena	conseguir	conectado(s) a la red
mis abuelos	aprender	un museo
tú	estar	en bicicleta
Luis y yo	montar	en la internet

1. _____

2. _____

3. _____

4. _____

5. _____

6. _____

6 La internet

Pon un círculo alrededor de la letra de la frase que completa correctamente cada oración.

1. Google y Yahoo son _____.

   A. cuartos de charla

   B. celulares

   C. motores de búsqueda

2. Para encontrar información sobre la ecología, puedes _____.

   A. navegar la Web

   B. llamar por el celular

   C. enviar un fax

3. En _____ se puede comunicar con otras personas del mundo.

   A. los programas

   B. los cuartos de charla

   C. los motores de búsqueda

4. Se puede _____ música digital de la computadora al reproductor de MP3.

   A. bajar

   B. navegar

   C. llamar

5. Sin _____, las computadoras no pueden hacer nada.

   A. los cuartos de charla

   B. los programas

   C. la Web

6. La polución de los carros contribuye a _____.

   A. la ecología

   B. la Web

   C. la contaminación ambiental

7 La contaminación ambiental

Lee la siguiente página Web y luego indica si las oraciones son ciertas (C) o falsas (F).

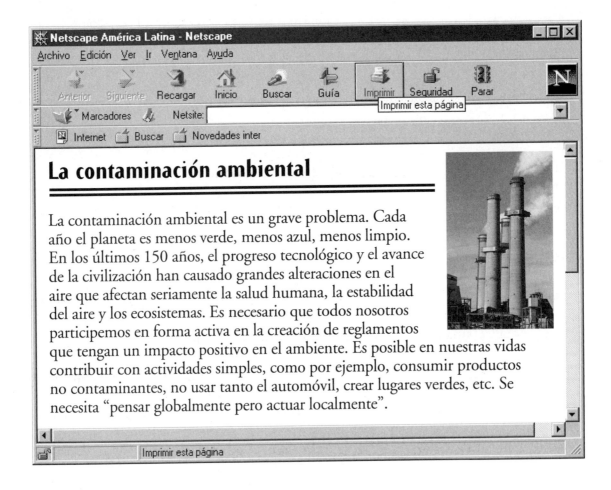

_____ 1. La contaminación ambiental afecta la salud humana.

_____ 2. Hace 200 años, el planeta era más verde.

_____ 3. No es posible para nosotros ayudar a limpiar el medio ambiente.

_____ 4. Es importante comprar productos que no contaminan.

_____ 5. Debemos pensar localmente y actuar globalmente.

8 El Club de Ecología

Completa las siguientes oraciones con el pretérito de los verbos entre paréntesis.

1. Carmen nos _____ a una reunión del Club de Ecología. (invitar)

2. Nosotros _____ a las siete en punto. (llegar)

3. Carmen y Rubén _____ a hablar sobre la contaminación. (empezar)

4. Muchas personas _____ sobre ecología urbana. (hablar)

5. Tú _____ la película con nosotros. (mirar)

6. La película _____ temas muy interesantes. (tocar)

9 Cambié mi vida

Completa el siguiente párrafo con la forma del pretérito de **yo** de los verbos entre paréntesis.

Después de mirar una película sobre la contaminación ambiental,

(1. empezar) _Empecé_ a hacer las cosas diferentes. Por ejemplo, ayer

(2. apagar) _apagué_ los aparatos eléctricos de la casa. También

(3. sacar) _saqué_ las latas de la basura para reciclarlas. Anoche

(4. navegar) _navegué_ en la internet para conseguir información sobre

la ecología. *(5. Buscar)* _Busqué_ las páginas Web de muchos grupos

ecologistas y *(6. participar)* _participé_ en varios cuartos de charla. Esta

mañana *(7. ayudar)* _ayudé_ a limpiar un parque y también

(8. colgar) _colgué_ carteles que dicen "No uses el carro. Camina."

Claro, yo *(9. llegar)* _llegué_ al colegio a pie.

10 ¿Qué hicieron?

Cambia las siguientes oraciones del presente al pretérito. Sigue el modelo.

MODELO   Enrique escribe e-mails a sus amigos.
          Enrique escribió e-mails a sus amigos.

1. Cristina lee una revista mexicana.

   Cristina leyó una revista mexicana.

2. Mis hermanos duermen mucho.

   Mis hermanos durmieron mucho

3. Nosotros recibimos esta foto por e-mail.

   Nosotros recibimos esta foto por email

4. Julián prefiere este motor de búsqueda.

   Julián prefirió este motor de búsqueda

5. Tú pides bajar el programa de ajedrez.

   Tú pediste bajar el programa de ajedrez

6. No consigo la dirección de Luis Miguel.

   No conseguí la dirección de Luis Miguel

7. Tus amigos se sienten mal.

   Tus amigos se sintieron,

8. Verónica no miente.

   Verónica no mintió

9. Vivo en Santiago de Chile.

   Viví en Santiago de Chile.

10. ¿Sigues conectada a la red?

    ¿Seguiste conectada a la red?

11 El fin de semana

Piensa qué hiciste el fin de semana. Contesta las siguientes preguntas, usando oraciones completas.

1. ¿Visitaste a alguien el fin de semana? ¿A quién?

   _____

2. ¿Leíste algo? ¿Qué?

   _____

3. ¿Comiste fuera de casa? ¿En dónde?

   _____

4. ¿Recibiste algún e-mail? ¿De quién?

   _____

5. ¿Cuántas horas dormiste el sábado?

   _____

6. ¿Te divertiste mucho?

   _____

12 Personajes famosos

Completa las siguientes oraciones con el pretérito de los verbos entre paréntesis.

1. Pablo Casals _____ el violoncelo. (tocar)

2. Miguel de Cervantes _____ *Don Quijote de la Mancha.* (escribir)

3. Cantiflas _____ muchas películas. (hacer)

4. Rita Moreno _____ un Óscar. (recibir)

5. Plácido Domingo _____ *El Barbero de Sevilla.* (cantar)

6. Frida Kahlo _____ una vida artística y política. (vivir)

13 El cuarto de charla

Imagina que estás en un cuarto de charla. Contesta las preguntas de tu nuevo amigo.

Archivo Edición Ver Ir a Ventana Ayuda

Pedro
Ana

>¡Hola! ¿Qué estás haciendo?

> _____

_____

>¿Qué te gusta hacer cuando estás conectado(a) a la red?

> _____

_____

>A mí me gusta aprender sobre la tecnología. ¿Crees que la tecnología es buena o mala?

> _____

_____

>¿Qué hiciste ayer que necesitó tecnología?

> _____

_____

>¿Qué hiciste hoy que necesitó tecnología?

> _____

_____

>Bueno, me tengo que ir. ¿Qué vas a hacer ahora?

> _____

_____

Si...   Enviar

Cuarto Privado   Ayuda   Ignorar   Identificar
            Lugares
Buscar   Salir   Teléfono Mensaje

Lección B

1 Últimas noticias

Completa la siguiente carta con las palabras de la lista.

acaba   camping   chismes   creo   crucero   visitaron

```
┌─────────────────────────────────────────────────────────────┐
│                                              [_][□][X]        │
│ [▼] [ Normal ▼ ] [MIME ▼] [QP][▤][▣][▪][▣]      Enviar      │
├─────────────────────────────────────────────────────────────┤
│    Para:  Sofía                                              │
│      De:  Gabi                                               │
│   Asunto:                                                    │
│      Cc:                                                     │
├─────────────────────────────────────────────────────────────┤
│  Hola Sofía,                                                 │
│  Te escribo con los (1)_____ de la familia. Héctor│
│  (2)_____ de comprar un bote. Mis padres no lo    │
│  saben porque se fueron de (3)_____ la semana     │
│  pasada. Yo (4)_____ que se van a sorprender      │
│  mucho. Enrique y Carlos no (5)_____ a la abuela; │
│  están en un viaje de (6)_____ en la montaña.     │
│  ¿Qué voy a hacer con estos hermanos?                        │
│  Tu sobrina,                                                 │
│  Gabi                                                        │
└─────────────────────────────────────────────────────────────┘
```

2 Los cibercafés

Indica si la siguiente información es cierta (C) o falsa (F).

_____ 1. En un cibercafé, puedes tomar una taza de café y navegar en la internet.

_____ 2. No hay computadores en un cibercafé.

_____ 3. Los cibercafés no son populares en México.

_____ 4. En España, hay más cibercafés que en Francia.

_____ 5. Muchos hispanos quieren estar conectados con el mundo.

3 Nosotros también

Escribe otra vez las siguientes oraciones, cambiando las palabras en *itálica* por las palabras entre paréntesis. Haz los cambios necesarios. Sigue el modelo.

MODELO *Tú* viste a Juanes en un concierto. (nosotros)
Nosotros vimos a Juanes en un concierto.

1. *Nosotros* fuimos a la playa. (Rafael y tú)

   Ustedes fué a la playa

2. *Yolanda* buscó el nuevo CD de Shakira. (yo)

   Yo busqué el nuevo CD de Shakira

3. *Tú* leíste el nuevo libro de Isabel Allende. (Mario)

   El leó el nuevo libro de Isabel allende

4. *Tobías y Miguel* vieron muchas películas de acción. (tú)

   Tu viste muchas películas de acción

5. *Ana* empezó a navegar todos los días. (yo)

   Yo empecé a navegar todos los días

6. *Uds.* pintaron la casa de amarillo. (nosotros)

   nosotros pintamos la casa de amarillo.

7. *Alejandro* visitó Veracruz. (Marta y Olga)

   Ellos visieron Veracruz.

8. *Ellas* dieron un paseo en bote. (tú)

   Tu diste un paseo en bote.

9. *Yo* jugué a las damas. (Fernando)

   El jugó a las damas.

10. *Nosotros* no hicimos nada en el crucero. (Patricia)

    Ella no hiciste nada en el crucero.

4 El crucero

Imagina que los señores Sánchez tomaron el crucero de este aviso. Lee el aviso y luego completa las oraciones con el pretérito del verbo entre paréntesis y la información correcta. Sigue el modelo.

MODELO   Los señores Sánchez *(salir)* <u>salieron el 1er sábado del mes</u> a las 4:30 P.M.

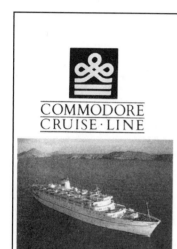

1. Los señores Sánchez *(visitar)* _____

   _____ y Playa del Carmen.

2. Ellos *(hacer)* _____ en todos

   los puertos.

3. El crucero *(dar)* _____ diarias.

4. Los señores Sánchez *(ir)* _____

   de despedida.

5. En la noche, los señores Sánchez *(ver)* _____.

6. Ellos *(estar)* _____ en un hotel

   en Miami.

7. La señora Sánchez *(ir)* _____ en

   el Omni Mall.

5 Sopa de letras

Pon un círculo alrededor de ocho palabras afirmativas y negativas. Las palabras están organizadas en forma vertical, horizontal y diagonal.

T	O	D	A	V	Í	A	W	S	T
Z	A	E	B	O	D	L	N	I	É
R	L	M	G	V	P	G	X	E	D
N	G	D	P	R	A	O	Á	M	L
A	U	É	C	O	O	I	R	P	C
D	I	N	L	S	C	L	E	R	L
I	E	Y	C	Í	U	O	G	E	V
E	N	A	D	A	C	Ó	H	A	R

6 Preguntas y respuestas

Escribe la letra de la respuesta que conteste lógicamente cada pregunta.

_____ 1. ¿Fuiste de camping alguna vez?

_____ 2. ¿Llamó alguien por teléfono?

_____ 3. ¿Ya pintaste el bote?

_____ 4. Hugo no quiere ir al cine. ¿Y tú?

_____ 5. ¿Tienes libros en español?

_____ 6. ¿Qué hiciste en las vacaciones?

A. Tampoco.

B. Nada.

C. No, nunca.

D. No, todavía no.

E. No, nadie.

F. Sí, algunos.

7 Algunas oraciones

Completa las siguientes oraciones, poniendo un círculo alrededor de la palabra apropiada entre paréntesis.

1. ¿Hay (alguien / nadie) en casa?

2. Yo (siempre / algo) voy a México en las vacaciones.

3. Jaime (también / todavía) no aprende a nadar.

4. No tengo (alguna / ninguna) noticia nueva.

5. Clarisa no quiere ir en bote y Antonio (también / tampoco).

6. No hay (nada / alguna) interesante en la televisión.

7. ¡Tú (ningún / nunca) quieres ir de camping!

8. ¿Conoces (algún / ningún) restaurante argentino?

8 No, nadie

Escribe otra vez las siguientes oraciones usando la palabra **no**. Haz los cambios necesarios. Sigue el modelo.

MODELO   Nadie fue a la fiesta.
  <u>No fue nadie a la fiesta.</u>

1. Yo nunca veo televisión.

  _____

2. Elena tampoco consiguió el CD.

  _____

3. Nadie durmió anoche.

  _____

4. Nada me contó Beatriz.

  _____

9 Observa y contesta

Mira el siguiente dibujo y contesta las preguntas, usando oraciones completas.

1. ¿Está el chico solo?

   _____

2. ¿Qué ropa lleva el chico?

   _____

3. ¿Quién tiene gafas de sol?

   _____

4. ¿Qué está haciendo la chica?

   _____

5. ¿Qué está haciendo el chico?

   _____

10 Novios y novias

Completa las siguientes oraciones con **es** o **no es** de acuerdo con la información cultural que leíste en tu libro.

1. En los países hispanos, _____ común tener novio a los catorce años.

2. Para los chicos y las chicas hispanos, _____ común salir en grupos grandes de amigos.

3. En Latinoamérica, _____ común salir solo con una chica.

4. Para salir con una chica, _____ común pedir permiso a los padres de la chica.

11 Tienda La Gloria

Imagina que trabajas en La Gloria y tu jefe te hace las siguientes preguntas. Contesta con la frase **Sí, acabo de** y el verbo con el pronombre de complemento directo apropiado. Sigue el modelo.

MODELO ¿Ya instalaste la bombilla?
Sí, acabo de instalarla.

Tiendas
La Gloria
Siempre a la moda

1. ¿Ya limpiaste el polvo?
   Sí, acabo de limpiarla

2. ¿Ya pasaste la aspiradora?
   Sí, acabo de pasarla

3. ¿Ya colgaste los vestidos?
   Sí, acabo de colgarle

4. ¿Ya pintaste las paredes?
   Sí, acabo de pintarla

5. ¿Ya te llamaron los clientes?
   Sí, acabo de llamarle

6. ¿Ya me ayudaste?
   Sí, acabo de ayudarlo

12 Preparo la cena

Completa las siguientes oraciones con los pronombres de complemento indirecto apropiados.

1. Yo _____ preparo la cena a mi familia.

2. A mí _____ gusta mucho cocinar.

3. _____ digo a Víctor que tiene que poner la mesa.

4. Yo no _____ pongo mucha sal a la comida.

5. Tampoco _____ pongo mucha pimienta a las papas.

6. Mis padres _____ dicen que soy un gran chef.

7. Después de la cena, papá _____ compra helado a todos nosotros.

8. A mis hermanos _____ gusta el helado de chocolate.

9. ¿Qué helado _____ gusta a ti?

13 ¿Puedes hacérmelos?

Escribe de nuevo las siguientes preguntas con los pronombres de complemento después del verbo. Haz los cambios necesarios. Sigue el modelo.

MODELO ¿Me la puedes traer?   ¿Puedes traérmela?

1. ¿Me los puedes limpiar?   _____

2. ¿Me lo puedes dar?   _____

3. ¿Te lo quieres comprar?   _____

4. ¿Me las quieres mostrar?   _____

5. ¿Nos la puedes leer?   _____

6. ¿Me la quieres pintar?   _____

7. ¿Nos los puedes lavar?   _____

8. ¿Te las quieres probar?   _____

Capítulo 2

Lección A

1 Crucigrama

Haz el siguiente crucigrama.

Horizontales

2. Te miras en un _____.

5. Para afeitarte, necesitas _____ de afeitar.

6. Te peinas el pelo con un _____.

8. Te secas con una _____.

9. Para lavarte las manos, abres el _____.

10. Te bañas en una _____.

Verticales

1. Te lavas el pelo con _____.

3. En un baño, hay una ducha, un lavabo y un _____.

4. Cuando nos _____, nos ponemos ropa.

7. Te lavas las manos con agua y _____.

2 En el baño

Mira el siguiente dibujo. Escribe el nombre de cada uno de los objetos numerados.

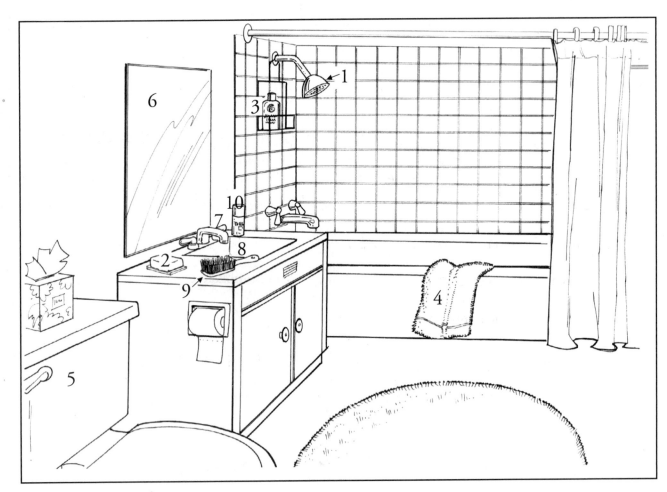

1. la ducha

2. el jabón

3. el champú

4. la toalla

5. el excusado

6. el espejo

7. el grifo

8. el lavabo

9. el cepillo

10. el desoderante

3 Lugares geográficos con nombres en español

Mira la siguiente lista de lugares geográficos en los Estados Unidos. Pon un círculo alrededor de los nombres en español.

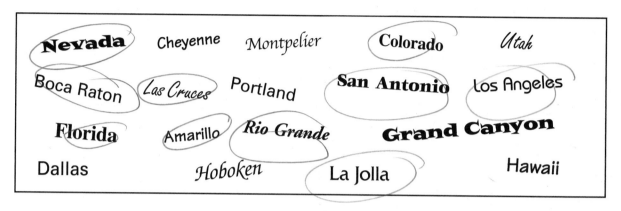

4 Verbos reflexivos y no reflexivos

Completa las siguientes oraciones, escogiendo el verbo apropiado entre paréntesis.

MODELO   Eugenio se mira en el espejo. (mira, se mira)

1. Yo _me lavo_ las manos antes de comer. (lavo, me lavo)

2. Mauricio _se baña_ siempre por la mañana. (baña, se baña)

3. Tú _pones_ los nuevos tenis. (pones, te pones)

4. Mis hermanos _cepillan_ al perro. (cepillan, se cepillan)

5. Nosotros _miramos_ la televisión. (miramos, nos miramos)

6. Carmen _maquilla_ muy bien a su hermana. (maquilla, se maquilla)

7. Dolores _se viste_ antes de salir. (viste, se viste)

8. Los niños _se despiertan_ muy temprano. (despiertan, se despiertan)

9. Tú _te cepillas_ los dientes. (cepillas, te cepillas)

10. Tomás _afeita_ al abuelo todos los días. (afeita, se afeita)

5 A las siete de la mañana

¿Qué hace la familia Rojas a la siete de la mañana? Completa las siguientes oraciones, según los dibujos.

MODELO Mamá <u>se maquilla</u>.

1.

Papá _____ se afieta _____.

2.

Yo _____ me ducho _____.

3.

Paula y Andrea _____ se cepillan los dietes _____.

4.

Tú _____ te pone lo al zapato _____.

5.

Luego, nosotros _____ nos cepillanos _____.

6.

David _____ se vestía _____.

6 Vamos a salir

Imagina que tu abuela llama por teléfono y quiere saber lo que todos están haciendo. Escribe las siguientes oraciones de forma diferente. Sigue el modelo.

MODELO Papá se está afeitando.
Papá está afeitándose.

1. Nosotros nos estamos preparando para salir.

   Nos estamos preparandones para salir.

2. Yo me estoy peinando.

   Yo estoy peinandome

3. Fernando se está poniendo desodorante.

   Fernando se está poniendose desodorante

4. Mamá se está bañando.

   Mamá está bañandose

7 "Frida" se pone a sus órdenes

Imagina que trabajas en Estética Unisex Frida y necesitas hacer unos letreros *(signs)*. Escribe de nuevo las siguientes oraciones con **se**. Sigue el modelo.

MODELO Hablamos inglés.
Se habla inglés.

ESTÉTICA UNISEX
"Frida"

Cortes   Limpiezas Faciales
Tintes   Depilaciones
Bases   Pestañas IXI
Rayos Luces Manicure Pedicure
Se pone a sus órdenes Estilista
Guillermina

Ave. 16 de Septiembre 523 Ote.   Frente Cine Victoria

1. Abrimos a las 8 A.M. _____

2. Vendemos champú. _____

3. Cerramos los lunes. _____

4. Aceptamos tarjetas de crédito. _____

5. Hacemos manicures. _____

8 La vida de Gustavo

Un reportero le hizo preguntas a Gustavo, un músico famoso, sobre su vida diaria. Completa la entrevista con las palabras apropiadas del cuadro.

~~desayunar~~   almorzar   ~~sentarme~~   ~~te preocupa~~

esperar   ~~calmarte~~   ~~te acuestas~~   **luego**   ~~quedarme~~   ~~quemarme~~

REPORTERO: ¿Qué haces para (1)____calmarte_____ antes de un concierto?

GUSTAVO: Nado, aquí en la piscina.

REPORTERO: ¿A qué hora (2)____te acuestas_____?

GUSTAVO: Muy, muy tarde.

REPORTERO: ¿Te levantas temprano?

GUSTAVO: Desde (3)____luego_____ que no. Me gusta

(4)____quedarme_____ en cama hasta el mediodía.

REPORTERO: ¿No te levantas para (5)____desayunar_____ por la mañana?

GUSTAVO: No, pero sí me levanto para (6)____almorzar_____ a la una.

REPORTERO: ¿Qué haces después?

GUSTAVO: Me gusta (7)____sentarme_____ a leer aquí en la piscina. Para no

(8)____quemarme_____ con el sol, siempre me pongo una gorra.

REPORTERO: ¿Vas a salir con tu novia esta noche?

GUSTAVO: No. Ella se fue de crucero y no me dijo cuándo regresa.

REPORTERO: ¿Y eso (9)____te preocupa_____?

GUSTAVO: Sí, mucho. No me gusta (10)____esperar_____ a las personas.

9 Las comidas

Escribe la letra de la frase que completa correctamente cada oración, de acuerdo con lo que leíste en tu libro.

_____ 1. Algunas personas dicen el almuerzo y otras dicen   A. a la hora del almuerzo.

_____ 2. En algunos países, se almuerza   B. la comida.

_____ 3. Algunas personas van a casa   C. a la hora de la cena.

_____ 4. Los fines de semana se come poco   D. entre la una y las tres.

_____ 5. En muchos restaurantes se puede cenar   E. a las once de la noche.

10 Una fiesta especial

Completa el siguiente párrafo, usando el pretérito de los verbos entre paréntesis.

Roberto y yo fuimos a una fiesta especial. Yo *(1. ducharse)* __me duché__

y *(2. vestirse)* __me vestí__ en media hora pero Roberto tardó dos horas.

Primero, él *(3. bañarse)* __se bañó__ y

(4. lavarse) __se lavé__ el pelo. Después

(5. afeitarse) __se afeité__ y *(6. peinarse)* __me peiné__

Yo *(7. sentarse)* __me senté__ en la sala para esperarlo. Roberto

(8. ponerse) __se puso__ y

(9. quitarse) __se quitó__ seis pantalones diferentes. Yo vi el reloj y

(10. preocuparse) __me preocupé__. ¡Eran las nueve! Finalmente, Roberto

salió del baño y yo *(11. calmarse)* __me calmé__ un poco. Fuimos a la

fiesta y *(12. quedarse)* __me quedé__ (nos quedamos) hasta la medianoche.

11 ¿Cuánto cuestan?

Mira el siguiente anuncio. Contesta las preguntas, usando las formas correctas del pronombre demostrativo **ése.** Sigue el modelo.

MODELO   ¿Cuánto cuesta el desodorante femenino?
              <u>Ése cuesta ¢567.</u>

1. ¿Cuánto cuesta el desodorante masculino?

   _____

   _____

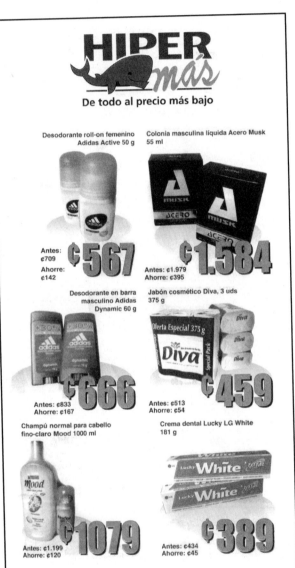

2. ¿Cuánto cuesta la colonia?

   _____

   _____

3. ¿Cuánto cuesta el champú?

   _____

   _____

4. ¿Cuánto cuestan los jabones?

   _____

   _____

5. ¿Cuánto cuesta la crema dental?

   _____

12 Quiero comprar aquél

Imagina que estás en una tienda que vende cosas para el baño. Completa los siguientes mini diálogos, usando la forma correcta de los pronombres demostrativos **éste** y **aquél.** Sigue el modelo.

MODELO —¿Quiere comprar este excusado?
—No, quiero comprar <u>aquél</u> que está allá.

1. —¿Quiere ver aquella tina?

   —No, quiero ver _____ésta_____ que está aquí.

2. —¿Le gusta este grifo?

   —No, me gusta más _____aquél_____ de allá.

3. —Esta tina blanca cuesta trescientos dólares.

   —¿Y _____ésta o aquella_____ negra?

4. —¿Quiere comprar aquellos cepillos?

   —No. Quisiera _____estos_____ de aquí.

5. —Aquel lavabo es muy elegante.

   —Sí, pero _____éste_____ de aquí es más barato.

6. —¿Quiere comprar estas toallas?

   —No. Prefiero _____aquéllos_____ de allá.

7. —¿Quiere ver este espejo?

   —Sí, y también quiero ver _____aquél_____ de allá.

8. —¿Va a comprar aquellos jabones?

   —No, _____éstos_____ que veo aquí me gustan más.

9. —¿Quiere estos peines?

   —No, quiero _____éstos aquéllos_____ que están allí.

13 Mi rutina diaria

Escribe dos párrafos comparando tu rutina diaria cuando estás en vacaciones y cuando estás en el colegio. ¿A qué hora te despiertas? ¿Cuánto tiempo te quedas en cama? ¿Te vistes para desayunarte? ¿A qué hora te acuestas? ¿De qué te preocupas?

_____

_____

_____

_____

_____

_____

_____

_____

_____

_____

_____

_____

_____

_____

◆Lección B

1 Las partes del cuerpo

Escribe los nombres de las partes del cuerpo que están numeradas. Incluye los artículos.

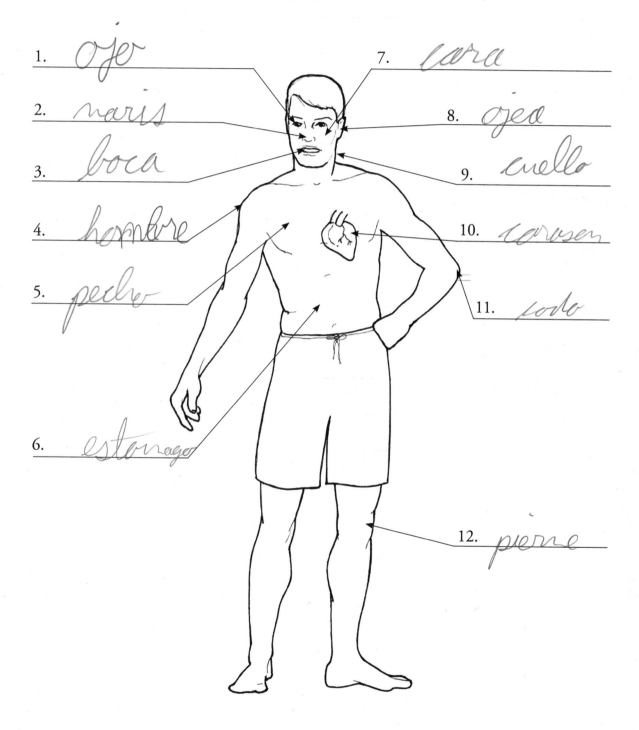

1. _ojo_

2. _naris_

3. _boca_

4. _hombre_

5. _pecho_

6. _estomago_

7. _cara_

8. _ojo_

9. _cuello_

10. _corazon_

11. _codo_

12. _pierna_

2 Sopa de letras

Encuentra y pon un círculo alrededor de siete palabras de partes de la cabeza. Las palabras están organizadas en forma vertical, horizontal y diagonal.

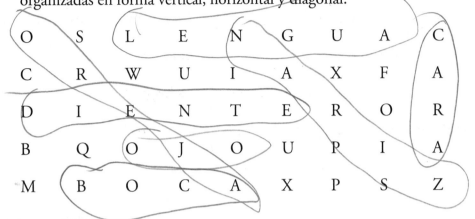

O	S	L	E	N	G	U	A	C
C	R	W	U	I	A	X	F	A
D	I	E	N	T	E	R	O	R
B	Q	O	J	O	U	P	I	A
M	B	O	C	A	X	P	S	Z

3 En el doctor

Completa la siguiente conversación con las palabras de la caja.

boca	cita	cabeza	descansar	duele	gripe
lengua	enfermera	medicina	oídos		sientes

DR. BURGOS: Hola, Sonia. ¿Cómo te (1)_____ *sientes* _____?

SONIA: Me (2)_____ *duele* _____ mucho la

(3)_____ *cabeza* _____.

DR. BURGOS: Abre la (4)_____ *boca* _____, saca la

(5)_____ *lengua* _____ y di *aaa*.

SONIA: *Aaa*.

DR. BURGOS: Ahora voy a ver tus (6)_____ *oídos* _____.

SONIA: ¿Qué tengo, doctor?

DR. BURGOS: Creo que tienes la (7)_____ *gripe* _____. Espera aquí. La

(8)_____ *enfermera* _____ te va a dar una

(9)_____ *medicina* _____. Debes tomarla cada seis horas. También

necesitas (10)_____ *descansar* _____ en cama.

SONIA: ¿Hago una (11)_____ *cita* _____?

DR. BURGOS: Sí. Regresa la próxima semana.

4 Aquí se habla español

Indica si la siguiente información es cierta (C) o falsa (F) según lo que leíste en tu libro.

C 1. Es importante ser bilingüe porque hay muchos hispanos en los Estados Unidos.

C 2. En los hospitales es importante poderse comunicar en español.

F 3. En Santa Fe y en Miami el 20% de la población es hispana.

C 4. En Los Ángeles, la población hispana llega al 30%.

F 5. En Nueva York, es posible encontrar periódicos en español.

5 Una hispana famosa

Lee el siguiente artículo y contesta las preguntas.

Doctora Antonia Novello

Antonia Novello fue la primera hispana en ocupar la posición de Cirujana General *(Surgeon General)* de los Estados Unidos. Nació en Puerto Rico en 1944. En 1970 llegó a los Estados Unidos y trabajó como pediatra y en el área de salud pública. Durante su término de Cirujana General (1990–1993), la Dra. Novello enfocó mucha atención a decirles a los jóvenes que fumar es malo para la salud. En 1999, fue nombrada Comisionada de Salud en el estado de Nueva York.

1. ¿De dónde es Antonia Novello?

_____

2. ¿Dónde vive ahora?

_____

3. ¿Por qué es famosa?

_____

_____

4. ¿Qué cree la Dra. Novello que es malo para tu salud?

_____

6 Me duele…

Completa las siguientes oraciones, usando la forma correcta del verbo **doler** y las partes del cuerpo que ves en los dibujos. Sigue el modelo.

MODELO A mí <u>me duele el ojo derecho</u>.

1. A Selena _be duele_
   ojdo .

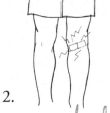

2. A ti _te duele la_
   pierna .

3. A Cristina _le duele_
   la pie .

4. A Francisco _le duele la_
   espalda .

5. A mis primos _los duelen_
   los estonagos .

6. A mí _le duele el_
   cuelle .

7. A nosotros *la cabesa* _____

_____.

8. A los chicos *la grargonta* _____

_____.

7 ¿Cómo te sientes?

Completa el siguiente diálogo con la forma apropiada de **doler, hacer falta, importar** o **parecer.** Incluye el pronombre apropiado.

ANDRÉS: ¡Ay! (1)_____ el hombro.

ROGELIO: Y a mí (2)_____ los pies.

ELENA: A mí (3)_____ que Uds. no están

acostumbrados a jugar al tenis. (4)_____

jugar todas las semanas.

ANDRÉS: Sí, es cierto. Necesitamos hacer más ejercicio.

ELENA: A todos nosotros (5)_____ hacer más

ejercicio.

ROGELIO: Elena y Andrés, ¿qué (6)_____ si vamos a

correr todas las mañanas?

ELENA: ¡Buena idea! ¿No (7)_____ levantarte

temprano, Andrés?

ANDRÉS: No, a mí no (8)_____.

8 En la playa

Mira el dibujo y lee las oraciones. Escribe la letra que corresponde a cada descripción en el espacio en blanco.

_____ 1. Los amigos se reúnen.

_____ 2. No quiere broncearse.

_____ 3. Se cayó.

_____ 4. Se le olvidó el traje de baño.

_____ 5. Los amigos se despiden.

_____ 6. No se siente bien.

_____ 7. Se equivocó.

_____ 8. No puede acostumbrarse al calor.

9 De vacaciones

Pon un círculo alrededor de la letra de la frase que completa lógicamente cada oración.

1. Los chicos van a pescar en _____.

    A. el lago

    B. la piscina

    C. la oficina

2. Lorenzo se compró una maleta porque se va _____.

    A. a sentarse

    B. de viaje

    C. a pescar

3. El hotel no está a la derecha; está _____.

    A. a la izquierda

    B. en el lago

    C. con llave

4. A las diez de la noche, debes ____ tocar la guitarra.

    A. despedirte de

    B. acostumbrarte a

    C. dejar de

5. Clarisa se quiere ir porque no se está ____.

    A. olvidando

    B. sentando

    C. divirtiendo

6. Con este frío vamos a pescar _____.

    A. peces

    B. un resfriado

    C. la gripe

10 El problema de Pablo

Completa las siguientes oraciones con el verbo apropiado entre paréntesis, según el contexto.

MODELO   Arturo <u>lleva</u> a Pablo al hospital. (lleva / se lleva)

1. Pablo _____ a la oficina de la doctora. (va / se va)

2. La doctora _____ a Pablo qué le duele.

   (le pregunta / se pregunta)

3. Pablo no puede _____ antes de la medianoche.

   (dormir / dormirse)

4. Pablo tampoco quiere _____ mucho. (comer / comerse)

5. Necesitamos _____ ocho horas al día. (dormir / dormirse)

6. Pablo _____ bien con sus amigos. (lleva / se lleva)

7. Él _____ por qué no se siente bien. (pregunta / se pregunta)

8. La doctora _____ de viaje mañana. (va / se va)

9. Ella va a _____ su celular. (llevar / llevarse)

10. Al día siguiente, Pablo le dice que _____ toda la pizza.

    (comió / se comió)

11 Esta noche

Completa las siguientes oraciones con tus planes para esta noche.

MODELO   Me pregunto <u>qué hay en la televisión esta noche.</u>

1. Esta noche, voy a _____.

2. Mis padres siempre me preguntan _____.

3. Para la cena, vamos a comer _____.

4. Antes de irme a la cama, _____.

5. Esta noche, voy a dormirme _____.

12 Las preposiciones

Completa las siguientes oraciones, escogiendo la preposición correcta entre paréntesis.

MODELO El hotel está <u>cerca</u> del lago. (cerca / desde)

1. _____ irme, quiero despedirme de mis amigos. (Antes de / Lejos de)

2. No puedo abrir la maleta _____ la llave. (por / sin)

3. Leí un libro interesante _____ camping. (en / sobre)

4. Es un buen día _____ hacer camping. (por / para)

5. Voy a reunirme _____ Quique y Lola. (con / a)

6. Tenemos que esperar _____ el año que viene. (hasta / sobre)

13 ¿Te cuidas?

¿Te cuidas la salud? Contesta las siguientes preguntas, usando oraciones completas.

1. ¿Te desayunas antes de ir a la escuela?

   _____

2. ¿Estás muchas horas en el sol para broncearte?

   _____

3. ¿Comes comida rápida sin preocuparte?

   _____

4. ¿Haces ejercicio después de levantarte?

   _____

5. ¿Miras la tele hasta dormirte por la noche?

   _____

14 Una cita médica

Imagina que estás en la oficina del doctor porque estás enfermo(a). Escribe un diálogo entre tú y el/la doctor(a). Describe cómo te sientes, qué te duele y qué te preocupa. El/La doctor(a) te dice lo que tienes y lo que debes y no debes hacer para cuidar de tu salud.

_____

_____

_____

_____

_____

_____

_____

_____

_____

_____

_____

_____

_____

_____

Capítulo 3

Lección A

1 En la ciudad

¿Dónde están las siguientes personas? Lee cada pista *(clue)* y escribe la letra de la respuesta correcta en el espacio en blanco.

_____ 1. Angélica necesita enviar una carta.　　　　A. Está en la iglesia.

_____ 2. Mario se va de viaje. Su avión sale pronto.　B. Está en su apartamento.

_____ 3. Camilo va a tomar el autobús a Puebla.　　C. Está en un edificio.

_____ 4. Gabriela no salió a ninguna parte.　　　　D. Está en la oficina de correos.

_____ 5. Jorge está escuchando un sermón religioso.　E. Está en la estación de autobuses.

_____ 6. La Sra. Villegas trabaja en una oficina grande.　F. Está en el aeropuerto.

2 Direcciones a la torre

Completa el siguiente diálogo con las palabras de la caja.

adelante	calle	cuadras	derecho	catedral
dirección	izquierda	esquina	llego	puente

MIGUEL:　Perdón, ¿cómo (1)_____ a la Torre América?

POLICÍA:　Debes ir hacia (2)_____ hasta pasar el

(3)_____. Luego toma la primera (4)_____ a

la (5)_____. Sigue en esa (6)_____ dos o tres

(7)_____. La torre está en una (8)_____, al

lado de la (9)_____.

MIGUEL:　¿Entonces sigo (10)_____ por esta calle?

POLICÍA:　Correcto.

MIGUEL:　Muchas gracias.

3 En San Miguel de Allende

Mira el siguiente mapa de un pueblo en México que se llama San Miguel de Allende. Imagina que le estás dando direcciones a la persona en el mapa. Escribe cómo llegar a los siguientes lugares.

MODELO   Teatro Ángela Peralta
Sigue a la derecha por tres cuadras, luego toma a la derecha. El teatro está en la próxima esquina.

1. Jardín Principal
2. La Parroquia de San Miguel Arcángel
3. Presidencia Municipal
4. Museo Casa de Don Ignacio Allende y Unzaga
5. Casa del Mayorazgo de la Canal
6. Centro Cultural Ignacio Ramírez
7. Templo de la Concepción
8. Teatro Ángela Peralta

1. Jardín Principal

_____

_____

_____

2. Centro Cultural Ignacio Ramírez

_____

_____

_____

3. Museo Casa de Don Ignacio Allende y Unzaga

_____

_____

_____

4 El pasado cultural de México

Escribe la letra de la respuesta correcta.

_____ 1. ¿Cuál de estas civilizaciones no vivió en México?

A. la olmeca   B. la azteca   C. la chibcha   D. la maya

_____ 2. ¿En qué año fundaron los mexicas la ciudad de Tenochtitlán?

A. 1012   B. 1325   C. 1521   D. 1821

_____ 3. ¿Quién conquistó la ciudad de Tenochtitlán?

A. Hernán Cortés B. Cristóbal Colón   C. Francisco Pizarro   D. Ponce de León

_____ 4. ¿Cuál de estos artistas no es mexicano?

A. Diego Rivera   B. Francisco de Goya C. David Alfaro Siqueiros D. José Clemente Orozco

5 Ven a mi casa

Imagina que Beatriz te escribió un e-mail con las direcciones a su casa. Completa el párrafo con los mandatos informales de los verbos entre paréntesis.

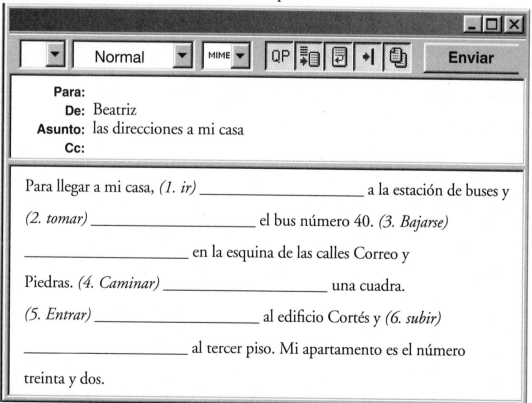

Para:
De: Beatriz
Asunto: las direcciones a mi casa
Cc:

Para llegar a mi casa, *(1. ir)* _____ a la estación de buses y

(2. tomar) _____ el bus número 40. *(3. Bajarse)*

_____ en la esquina de las calles Correo y

Piedras. *(4. Caminar)* _____ una cuadra.

(5. Entrar) _____ al edificio Cortés y *(6. subir)*

_____ al tercer piso. Mi apartamento es el número

treinta y dos.

6 ¿Qué dijo el profesor?

Mira los dibujos e imagina lo que dijo el profesor de español a cada estudiante. Escribe el mandato informal en el espacio en blanco.

MODELO <u>Cierra la puerta.</u>

1. _____

2. _____

3. _____

4. _____

5. _____

6. _____

7 Se va de viaje

Imagina que tu amigo se va de viaje a México y tú le haces las siguientes preguntas. Escribe lo que contesta, usando el mandato informal. Sigue el modelo.

MODELO ¿Te ayudo?
Sí, ayúdame.

1. ¿Te busco las maletas?

   _____

2. ¿Pongo tu pasaporte en la mochila?

   _____

3. ¿Hago una reservación en el hotel?

   _____

4. ¿Te compro un mapa?

   _____

5. ¿Limpio tu cuarto?

   _____

6. ¿Le doy a tu perro de comer?

   _____

7. ¿Te llevo al aeropuerto?

   _____

8. ¿Te llamo por teléfono esta noche?

   _____

9. ¿Me despido de ti?

   _____

10. ¿Me voy a casa?

   _____

8 En el centro comercial

Completa el siguiente párrafo con las palabras de la caja.

almacén	caballero		corredor	dulce
	monedas	vitrina	zapatería	

Hay mucha gente hoy en el centro comercial. Un (1)_____corredor_____ elegante

está entrando a un (2)_____almacén_____ para comprarse una corbata. Unos chicos

están mirando la (3)_____vitrina_____ de la papelería pero no quieren entrar. Al

otro lado del (4)_____caballero_____, una señora está comprando unos tenis en la

(5)_____zapatería_____. En la dulcería, un niño va a comprarse un

(6)_____dulce_____. Él tiene dos (7)_____moneda_____ en la mano.

9 Sopa de letras

Encuentra y pon un círculo alrededor del nombre de ocho tiendas especializadas. Las palabras están organizadas en forma horizontal, vertical y diagonal.

Z	H	E	L	A	D	E	R	Í	A
I	A	J	U	G	U	E	W	V	C
P	A	P	E	L	E	R	Í	A	A
D	L	A	A	Z	B	F	E	J	R
U	X	N	S	T	Y	L	K	H	N
L	N	A	U	Q	E	O	E	R	I
C	B	D	U	I	O	R	L	P	C
E	D	E	A	S	D	E	Í	W	E
R	F	R	U	T	E	R	Í	A	R
Í	Q	Í	P	Y	T	Í	G	F	Í
A	S	A	C	V	B	A	M	N	A

10 De compras en la Ciudad de México

¿Dónde vas de compras si estás en la Ciudad de México? Completa cada oración de acuerdo con la información que leíste en tu libro. Escribe la letra de la respuesta correcta en el espacio en blanco.

_____B___ 1. Si quieres regatear,   A. entra al Palacio del Hierro.

_____F___ 2. Para comprar en un supermercado grande,   B. ve a los tianguis.

_____A___ 3. Si buscas un almacén mexicano,   C. ve a Polanco.

_____C___ 4. Si quieres comprar arte,   D. entra en una tortillería.

_____d___ 5. Si buscas un centro comercial elegante,   E. ve a Soriana o Gigante.

_____e___ 6. Si quieres unas tortillas,   F. visita el Bazar Sábado.

11 En clase de español

¿Qué dice el profesor de español? Completa las siguientes oraciones con el mandato formal de los verbos entre paréntesis. Sigue el modelo.

MODELO   (Abrir) <u>Abran</u> Uds. los libros a la página cincuenta y siete.

1. (Escribir) _____ Uds. las palabras en la pizarra.

2. (Seguir) _____ Uds. practicando todos los días.

3. (Poner) _____ Uds. los libros en la mochila.

4. (Repetir) _____ Uds. las oraciones que yo digo.

5. (Venir) _____ Uds. temprano a clase.

6. (Leer) _____ Uds. el siguiente párrafo.

7. (Saber) _____ Uds. el pretérito de estos verbos.

8. (Ser) _____ Uds. corteses con la directora.

9. (Volver) _____ Uds. mañana.

10. (Empezar) _____ Uds. a hacer la tarea esta noche.

Nombre: _____ Fecha: _____

12 En el centro

Imagina que un turista te hace las siguientes preguntas. Mira el dibujo y escribe tus respuestas usando el mandato formal y los pronombres apropiados. Sigue el modelo.

MODELO   ¿Dónde compro un helado?
<u>Cómprelo en la Heladería Pingüino.</u>

1. ¿Dónde compro unos cuadernos?

   Compulto Papeleria

2. ¿Dónde consigo unos pantalones?

   Almacen Moctzuma

3. ¿Dónde llevo a mi familia a cenar?

   Restaurante

4. ¿Dónde compro un pollo?

   Carniceria

5. ¿Dónde compro unas naranjas?

   Fruteria

6. ¿A quién le pido direcciones?

   _____

13 Actividades culturales

Imagina que trabajas en una agencia turística en México, D.F. Contesta las siguientes preguntas, usando la información del folleto *(brochure)* y el mandato formal. Sigue el modelo.

MODELO   Para el paseo por la ciudad, ¿llego a las diez de la mañana?
            <u>No. Llegue a las nueve y media.</u>

1. Para aprender sobre Frida Kahlo, ¿vengo el sábado 2?

    _____

    _____

Marzo		
Sábado 2	Art Noveau en México.	9:30 a.m.
Domingo 3	Muralistas Mexicanos	9:30 a.m.
Sábado 9	Paseo por la Ciudad: la herencia azteca y española	9:30 a.m.
Domingo 10	Teotihuacán: Fusión de dos religiones.	9:00 a.m.
Sábado 16	La vida de Frida Kahlo y Diego Rivera	9:30 a.m.
Domingo 17	Tepotzotlán: Museo Nacional del Virreinato	9:30 a.m.
Sábado 23	Paseo por la Ciudad: la herencia azteca y española	9:30 a.m.
Domingo 24	Teotihuacán: Fusión de dos Religiones.	9:00 a.m.
Sábado 30	Xochimilco y Museo Dolores Olmedo	9:30 a.m.
Domingo 31	Chapultepec: El bosque más antiguo dentro de una ciudad	9:30 a.m.

2. ¿Voy a Teotihuacán para ver el Museo Nacional del Virreinato?

    _____

    _____

    _____

3. ¿De qué saco fotos el domingo 3?

    _____

    _____

    _____

Iglesia de Tepotzotlán, Museo Nacional del Virreinato

4. Para ir a Xochimilco, ¿estoy listo a las diez y media?

    _____

    _____

    _____

5. ¿Qué día llego para ir a Chapultepec?

    _____

14 En México, D.F.

Imagina que tú y tus amigos están en el Distrito Federal. Vuelve a escribir las siguientes oraciones usando los mandatos con **nosotros.** Sigue el modelo.

MODELO   Vamos a ver el Ballet Folklórico de México.
          <u>Veamos el Ballet Folklórico de México.</u>

1. Vamos a tomar el metro al Parque de Chapultepec.

   Veamos al Parque de Chapultepec

2. Vamos a sacar una foto del Monumento a los Niños Héroes.

   Veamos del monumento a los Niños Héroes

3. Vamos a ver las vitrinas en la Zona Rosa.

   Veamos en la Zona Rosa

4. Vamos a entrar al Museo Dolores Olmedo.

   Veamos al Museo Dolores Olmedo

5. Vamos a comer en esta taquería.

   Veamos en esta taquería

6. Vamos a preguntar cómo se llega a Xochimilco.

   Veamos a Xochimilco

7. Vamos a caminar por el Centro Histórico.

   Veamos por el Centro Histórico

8. Vamos a ir al Zócalo.

   Veamos al Zócalo

9. Vamos a conseguir un mapa de Coyoacán.

   Veamos un mapa de Coyoacán

10. Vamos a visitar Teotihuacán.

    Veamos Teotihuacán

15 ¿Cuándo lo hacemos?

Imagina que sigues en México y tus amigos te hacen las siguientes preguntas. Contéstalas usando el mandato con **nosotros**. Sigue el modelo.

MODELO ¿Cuándo vamos a ver las pirámides? (esta tarde)
Veámoslas esta tarde.

1. ¿Cuándo vamos a bañarnos en la piscina? (mañana)

   Veámosla mañana

2. ¿Cuándo vamos a comprar el libro sobre Frida Kahlo? (el viernes)

   Veámoslo el viernes

3. ¿Cuándo vamos a comer estos tacos? (ahora)

   Veámoslos ahora

4. ¿Cuándo vamos a visitar el Palacio Nacional? (el jueves)

   Veámoslo el jueves

5. ¿Cuándo vamos a enviarles un e-mail a tus padres? (esta noche)

   Veámoslos esta noche

6. ¿A qué hora nos vamos a levantar mañana? (a las siete)

   Veámosla a las siete

7. ¿A qué hora vamos a desayunarnos? (a las ocho)

   Veámoslos a las ocho

8. ¿Cuándo vamos a conocer la Catedral Metropolitana? (el martes)

   Veámoslo el martes

9. ¿Cuándo vamos a conseguir un mapa de la ciudad? (hoy)

   Veámoslo hoy

10. ¿Dónde vamos a esperar el autobús? (en la esquina)

    Veámoslo en la esquina

16 ¿Qué sabes de Guadalajara?

Indica si la siguiente información es cierta (C) o falsa (F) según lo que leíste en tu libro.

___C___ 1. Guadalajara es la capital del estado de Jalisco.

___C___ 2. La música mariachi se originó en Jalisco.

___C___ 3. El Teatro Degollado tiene dos torres magníficas.

___F___ 4. El Instituto Cultural Cabañas tiene murales pintados por Diego Rivera.

___F___ 5. Las personas que viven en Guadalajara se llaman tapatíos.

17 Visítame pronto

Imagina que tienes un(a) amigo(a) mexicano(a) que va a venir a tu ciudad. Escríbele un e-mail usando mandatos informales para decirle cómo llegar del aeropuerto a tu casa, qué debe hacer en tu ciudad y dónde debe ir de compras.

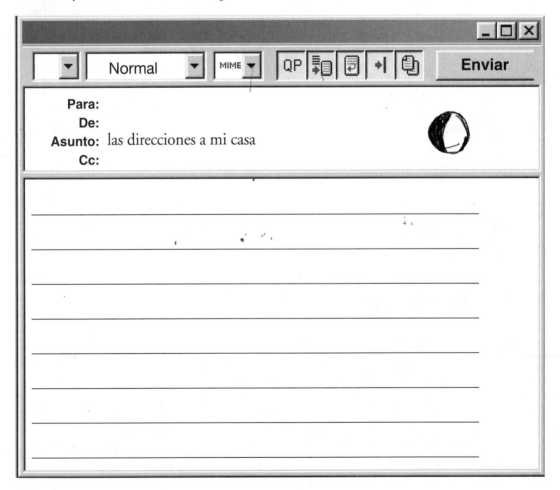

◆ Lección B

1 En el barrio

Mira el dibujo y completa los letreros *(signs)* con las palabras de la caja.

| acera | ~~alto~~ | *barrio* | césped | *exhibición* | tirar | vecino |

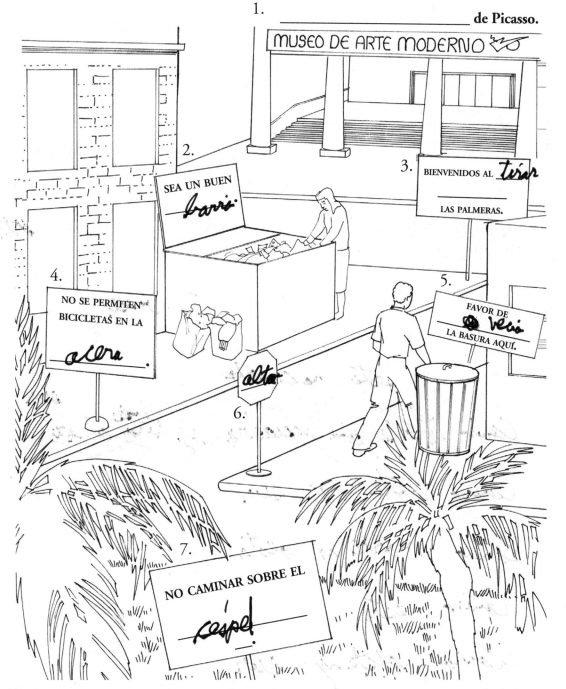

2 ¿En qué dirección caminas?

Mira el dibujo. Imagina que estás en el Supermercado Grande. Escribe en qué dirección tienes que caminar para llegar a los siguientes lugares. Sigue el modelo.

MODELO   Oficina de correos
Camino una cuadra al norte y una al este.

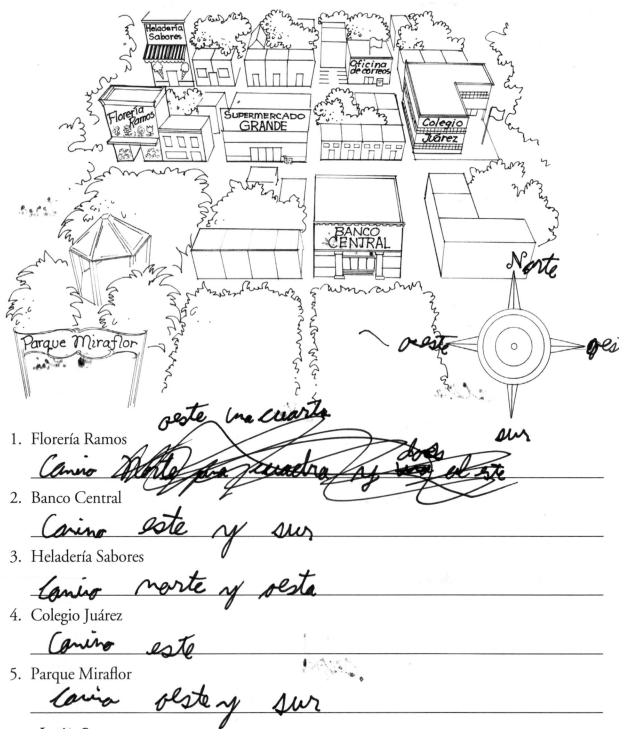

1. Florería Ramos

Camino ~~oeste una cuadra~~ _____ dos ~~el este~~ sur

2. Banco Central

Camino este y sur

3. Heladería Sabores

Camino norte y oeste

4. Colegio Juárez

Camino este

5. Parque Miraflor

Camino oeste y sur

3 Mapa de México

Mira el mapa de México y escribe el nombre de las siguientes ciudades en los espacios en blanco apropiados: **Acapulco, Cuernavaca, Guadalajara, Mérida.**

1. ~~Acapulco~~ *Mérida*

2. *Guadalajara*

3. ~~Mérida~~ *Acapulco*

4. *Cuernavaca*

México, D.F. ★

4 Conocemos México

Completa el siguiente párrafo con las formas apropiadas del verbo **conocer.**

Muchos de mis amigos (1)____*conocen*____ México. Alicia

(2)____*conoce*____ Guadalajara y Roberto

(3)____*conocen*____ la Ciudad de México y Puebla. Yo

(4)____*conozco*____ Yucatán. Mi familia y yo

(5)____*conocemos*____ Cancún, Playa del Carmen y Mérida. Tú también

(6)____*conoces*____ Cancún, ¿verdad? ¿(7)____*conocen*____

tus padres otras ciudades de México?

5 Sabemos muchas cosas

Completa las siguientes oraciones con la forma apropiada del verbo **saber.**

1. ¿_____*sabes*_____ tú en qué estado está Guadalajara?

2. Verónica _____*sabe*_____ conducir un coche.

3. Mis amigos _____*saben*_____ jugar muy bien al ajedrez.

4. Yo _____*sé*_____ quiénes fundaron Tenochtitlán.

5. Alfredo _____*sabe*_____ en qué casa vivió Frida Kahlo.

6. Rosita y yo _____*sabemos*_____ dónde se puede comprar tortillas.

6 ¿Saber o conocer?

Completa el siguiente diálogo con las formas apropiadas de **conocer** y **saber.**

DIEGO: Perdón, señora. ¿(1)_____ Ud. dónde está
el Museo de Arte Moderno?

SEÑORA: Desde luego. Yo (2)_____ muy bien el museo porque

soy profesora de arte. ¿(3)_____ tú cómo llegar
al Paseo de la Reforma?

DIEGO: No, no (4)_____. Éste es mi primer día en el D.F.,

entonces no (5)_____ la ciudad.

SEÑORA: ¿Por qué no tomas un taxi?

DIEGO: ¿(6)_____ los taxistas dónde está el museo?

SEÑORA: Diles que está en el Bosque de Chapultepec que todos

(7)_____.

DIEGO: ¿(8)_____ Ud. a qué hora cierra el museo?

SEÑORA: Eso no lo (9)_____, pero

(10)_____ al director del museo. Si quieres lo llamo

y se lo pregunto.

DIEGO: No, está bien. Muchas gracias, señora.

7 Crucigrama

Haz el siguiente crucigrama con palabras relacionadas con el coche.

Horizontales

2. Un coche tiene cuatro _____.

3. Es la identificación del coche.

8. Se usa cuando está lloviendo.

9. Cuando manejas, debes poner las dos manos sobre el _____.

10. En las señales de alto, usas el _____.

Verticales

1. Se ponen las maletas en el __ del coche.

4. Cuando vas en coche, tienes que ponerte el __ de seguridad.

5. Se abre para ver el motor.

6. Cuando se maneja, se usa este sonido para llamar la atención.

7. Se encienden de noche para ver mejor.

8 La contaminación ambiental en el D.F.

Completa las siguientes oraciones con las palabras de la lista, usando la información que leíste en tu libro.

buses	coches	contaminación	gasolina
Molina	momento	ozono	placa

1. En el D.F., los ___*coches*___ no pueden circular un día de la semana.

2. El número de la ___*placa*___ determina el día que no se puede manejar.

3. Cuando el nivel de ___*ozono*___ está muy alto, los oficiales de la ciudad

   cierran algunas industrias.

4. Proaire es un programa para reducir la ___*contaminación*___.

5. El Dr. Mario ___*Molina*___ ayudó a crear Proaire.

6. Gracias a Proaire, la calidad de la ___*gasolina*___ es mejor y los

   ___*buses*___ son más modernos.

9 El mandato negativo

Mira el siguiente aviso y encuentra cuatro mandatos negativos. Escríbelos en los espacios en blanco y al lado de cada uno, escribe el infinitivo.

1. _____

   _____

2. _____

   _____

3. _____

   _____

4. _____

**No pintes nada,
no compres nada,
no arregles nada,
ni siquiera corras un mueble
sin antes visitar TODOGAR**

TODOGAR
Salón Internacional de la Casa
15 al 17 Agosto/CasaPiedra

En TODOGAR, encontrarás todo lo que imaginaste para construir, remodelar o mejorar tu hogar. Decoración, Diseño, Ambientación, Equipamiento, Proyectos Inmobiliarios y Tecnología para el hogar.

10 Un barrio verde

El club de ecología escribió varios carteles *(posters)* para colgar en tu barrio. Pon un círculo alrededor del mandato apropiado para completar cada oración.

1. No _____ Uds. basura en la calle.

   A. tiran   B. tires   C. tiren

2. No _____ tú al colegio en coche. Camina.

   A. vaya   B. vayas   C. ve

3. No _____ tú de apagar las luces.

   A. te olvides   B. te olvidas   C. te olvide

4. No _____ nosotros los árboles.

   A. corte   B. cortemos   C. cortamos

5. No _____ nosotros mucha agua.

   A. usamos   B. usemos   C. usen

6. No _____ tú el coche en la calle.

   A. lava   B. lave   C. laves

7. No _____ Uds. basura.

   A. quemes   B. quemen   C. queman

8. No _____ nosotros a contaminar nuestro barrio.

   A. vamos   B. vayamos   C. van

11 El examen de conducir

Imagina que tu amigo(a) va a tomar el examen para sacar la licencia de conducir. ¿Qué le dices?
Completa las siguientes oraciones con el mandato informal de los verbos entre paréntesis.

1. _____ el cinturón de seguridad. (ponerse)

2. No _____ muy rápidamente. (conducir)

3. _____ siempre las dos manos en el volante. (tener)

4. No _____ a pasarte las señales de alto. (ir)

5. No _____ en el espejo. (mirarse)

6. No _____ la radio. (encender)

7. No _____ el claxon en cada esquina. (usar)

8. No _____ las curvas muy rápidamente. (tomar)

12 No hagas eso

Imagina que estás organizando un picnic para los vecinos de tu barrio. Contesta las siguientes
preguntas, usando el mandato negativo informal y la información entre paréntesis. Sigue el modelo.

> **MODELO** ¿Vengo al mediodía? (a las once)
> No, no vengas al mediodía. Ven a las once.

1. ¿Hago una ensalada? (un postre)

   _____

2. ¿Compro refrescos? (jugos)

   _____

3. ¿Consigo una pelota? (piñata)

   _____

4. ¿Traigo enchiladas? (tamales)

   _____

5. ¿Llevo platos de plástico? (de papel)

   _____

13 Cambié de idea

Tú sigues organizando el picnic, pero después de decir algo, cambias de idea. Escribe de nuevo las siguientes oraciones en forma negativa y usando los pronombres apropiados. Sigue el modelo.

MODELO Esta silla, llévala por favor.
<u>No, no te la lleves.</u>

1. Esa mesa, tráemela.

_____

2. Este vaso, dáselo.

_____

3. Ponle más sal a la ensalada.

_____

4. Ayúdame.

_____

5. Lleva estos platos a Sonia.

_____

14 Cuidando a niños

Imagina que le estás cuidando los hijos a una vecina. Lee las situaciones y escribe una oración diciéndoles qué no deben hacer. Sigue el modelo.

MODELO Pablito quiere comerse los dulces.
<u>No te los comas.</u>

1. Anita quiere maquillar al gato.

_____

2. Pablito y Luis quieren dormirse sobre el césped.

_____

3. Memo quiere cortarse el pelo.

_____

4. Luis quiere conducir el coche del papá.

_____

5. Anita y Memo quieren acostarse tarde.

_____

15 Ocho cosas que no debes hacer

Imagina que hoy tu amigo(a) mexicano(a) va a estudiar en tu colegio. Escríbele un e-mail diciéndole ocho cosas que no debe hacer en clase, en el autobús y en la cafetería. Usa mandatos negativos.

```
┌──────────────────────────────────────────────────┐ _ □ X
│ [▼]  Normal [▼]  MIME[▼]  QP [📄][📄] ▪[📄]  │ Enviar │
├──────────────────────────────────────────────────┤
│    Para:                                           │
│      De:                                           │
│  Asunto:                                           │
│      Cc:                                           │
├──────────────────────────────────────────────────┤
│    _____       │
│    _____       │
│    _____       │
│    _____       │
│    _____       │
│    _____       │
│    _____       │
│    _____       │
│    _____       │
│    _____       │
│    _____       │
│    _____       │
│    _____       │
└──────────────────────────────────────────────────┘
```

Capítulo 4

Lección A

1 Un parque fascinante

Arturo habla de lo que hizo el sábado. Completa el diálogo de forma lógica.

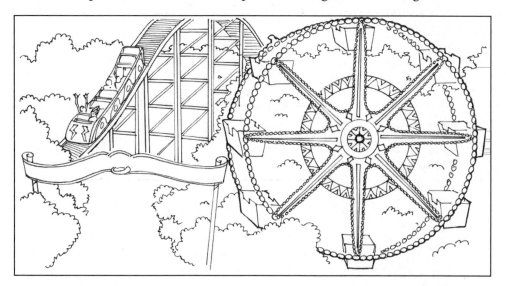

ARTURO: El sábado Jimena y yo fuimos al nuevo parque de (1)_____.

DOLORES: ¿Sí? ¿Cómo es?

ARTURO: Es fascinante. Nos (2)_____ en muchas atracciones.

DOLORES: ¿Se montaron en la (3)_____ rusa?

ARTURO: Sí. Jimena gritaba de (4)_____ pero yo no.

DOLORES: ¿En qué más se montaron?

ARTURO: Nos montamos en la rueda de Chicago y en los carros (5)_____.

DOLORES: ¿Vieron los (6)_____ artificiales?

ARTURO: No, porque nos fuimos antes del desfile.

DOLORES: Y eso, ¿por qué?

ARTURO: Me comí muchas (7)_____ de maíz y cinco algodones de

          (8)_____ y ya puedes (9)_____.

DOLORES: Sí, me imagino. Ja-ja. Me parece muy (10)_____.

ARTURO: ¡Qué mala eres!

2 Crucigrama

Completa el siguiente crucigrama con la información sobre El Salvador que leíste en tu libro.

Horizontales

2. Diego de _____ fue el conquistador español que fundó San Salvador.

4. Al sur de El Salvador está el océano _____

7. El Salvador es el país más pequeño de América _____

8. Los países vecinos de El Salvador son Guatemala y _____

Verticales

1. La región de El Salvador era parte del territorio _____

3. Hay más de veinte _____ activos en El Salvador.

4. El Salvador es el país que tiene más densidad de _____ en Latinoamérica.

5. San Salvador está en el Valle de las _____

6. La capital de El Salvador es _____ Salvador.

3 De niño(a)

Imagina que de niño(a) tu familia iba al parque de atracciones todos los meses. Escribe oraciones describiendo lo que siempre hacían. Usa la siguiente información y la forma apropiada del imperfecto. Sigue el modelo.

MODELO   mis hermanos / comprar algodón de azúcar
<u>Mis hermanos siempre compraban algodón de azúcar.</u>

1. yo / montar en el carrusel

   <u>Yo montaba</u>

2. mi padre / conducir mal el carro chocón

   <u>mi padre conducía</u>

3. Raquel / cerrar los ojos en la rueda de Chicago

   <u>Raque cerraba</u>

4. nosotros / gritar en la montaña rusa

   <u>nosotros gritábamos</u>

5. mi madre / hacer caras chistosas

   <u>mi madre hacía</u>

6. tú / comer palomitas de maíz

   <u>tu comía</u>

7. nosotros / ver el desfile

   <u>nos veíamos</u>

8. Miguelito / querer ir en globo

   <u>Miguelito quería</u>

9. mis hermanos / pedir golosinas

   <u>pedían</u>

10. nosotros / divertirse mucho

   <u>nos divertíamos.</u>

4 En el parque de atracciones

Mira el dibujo. Escribe oraciones, usando el imperfecto para decir qué hacían las siguientes personas cuando empezó a llover en el parque de atracciones.

1. nosotros

_____

2. Uds.

_____

3. Elisa

_____

4. un señor con cara chistosa

_____

5. mis amigos

_____

6. la Sra. Vargas

_____

5 Cuando mi abuelo era pequeño

Completa las siguientes oraciones con el imperfecto de los verbos entre paréntesis.

1. De pequeño, mi abuelo _____ en El Salvador. (vivir)

2. Su familia _____ una casita en la playa. (tener)

3. Los fines de semana, mi abuelo _____ golosinas en la playa. (vender)

4. Sus hermanos y él _____ mucho al fútbol. (jugar)

5. Su mamá _____ sopa todos los domingos. (cocinar)

6. Su papá _____ a trabajar a las seis de la mañana. (salir)

7. Mi abuelo _____ ir a los Estados Unidos. (querer)

8. Él _____ muchas revistas estadounidenses. (leer)

6 ¿Qué pasaba?

Completa las siguientes oraciones con el imperfecto de los verbos entre paréntesis.

1. No _____ mucha gente cuando el parque de atracciones abrió. (haber)

2. Inés _____ miedo cuando se montó en la montaña rusa. (tener)

3. Tú _____ los carros chocones cuando te vimos. (manejar)

4. _____ mucho viento cuando nos montamos en la rueda de Chicago. (Hacer)

5. Nosotros _____ helado cuando empezó a llover. (comer)

6. Mis primos _____ irse a casa. (querer)

7. Yo _____ triste cuando nos fuimos. (estar)

8. Uds. _____ a la montaña rusa cuando salimos del parque. (subir)

7 ¿Qué animal es?

Lee las siguientes descripciones y escribe la letra del animal que corresponde en cada espacio en blanco.

_____ 1. Es alto y tiene un cuello muy largo.

A. la cebra

_____ 2. Parece un caballo blanco y negro.

B. la serpiente

_____ 3. Tiene orejas grandes y una nariz larga.

C. el tigre

_____ 4. Es un gato grande, anaranjado y negro.

D. la jirafa

_____ 5. Vive en los árboles y come plátanos.

E. la tortuga

_____ 6. Es rosado y vive cerca del agua.

F. el camello

_____ 7. Este reptil camina muy despacio.

G. el mono

_____ 8. No tiene patas (limbs).

H. el hipopótamo

_____ 9. Es muy grande y vive en los ríos de África.

I. el flamenco

_____ 10. Algunas personas del Sahara se montan en él.

J. el elefante

8 Categorías

Pon un círculo alrededor del animal que no corresponde en cada grupo.

1. serpiente   iguana   mono   tortuga

2. gorila   camello   humano   mono

3. pantera   tigre   león   iguana

4. flamenco   león   cebra   jirafa

5. león   tortuga   gorila   cebra

6. elefante   serpiente   hipopótamo   jirafa

9 Zoológico Simón Bolívar

Lee el siguiente aviso y contesta las preguntas con la información correcta.

CIENCIAS

LLEGÓ LA MADRE... NATURALEZA

Para cuidarla, hay que conocerla, por eso la invitación del Zoológico Simón Bolívar no se reduce a compartir con los animales, sino a conocer el lugar donde viven y cómo viven. La diversión se repartirá entre Santa Ana y San José.
Zoológico Nacional Simón Bolívar (ZNSB) y Centro de Conservación Santa Ana (CCSA). Barrio Amón, San José y Santa Ana. *Pequeños nutricionistas de animales*, jueves 23 de enero, para niños de 5 a 7 años, CCSA, de 8:30 a. m. a 12 mediodía, valor: ₡1.500 (incluye entrada y materiales). *Día de campo agrícola*, viernes 24 de enero, niños de 9 años en adelante, CCSA, de 8:30 a. m. a 2 p. m, valor: ₡5.000 (incluye entrada y materiales). Fotografiando la Naturaleza, del lunes 20 al viernes 24 de enero, de 9 a 11 a. m, valor: ₡15.000 (incluye entrada, recorrido guiado y materiales y gira al CCSA). *Bichos, las sorprendentes hormigas*, martes 28 de enero, de 3 a 5 años (con un adulto), CCSA, de 9 a. m. a 12 mediodía, valor: ₡3.500 (incluye entrada, recorrido guiado y materiales). Tels. 233-6701 y 223-1790.

1. ¿Qué animal está en la foto?

   _____

2. ¿En qué ciudades iban a ser los programas?

   _____

3. ¿Qué día era *Pequeños nutricionistas de animales*?

   _____

4. ¿Cuántos años tenían los niños que participaron en *Bichos, las sorprendentes hormigas*?

   _____

5. ¿Cuánto costaba Fotografiando la Naturaleza?

   _____

10 Así eran

Completa las siguientes oraciones con la forma apropiada del imperfecto de **ser, ir** o **ver,** según el contexto.

1. Humberto _____ muchos animales en el zoológico.

2. Los leones _____ muy feroces.

3. Nosotros _____ a ir al zoológico ayer.

4. Abuelito _____ muy chistoso.

5. Tú _____ los fuegos artificiales del pueblo.

6. Beatriz _____ al parque con sus dos primas.

7. ¿Qué _____ Uds. ayer en la televisión?

8. Yo te _____ a llamar por teléfono.

11 Un día emocionante

Completa el siguiente párrafo con las formas apropiadas del imperfecto de los verbos de la caja.

> **tenía** estábamos **había** gritaba *Era* hacía íbamos

Mis hermanos y yo (1)_____ a ir al zoológico el sábado

pero fuimos el domingo. (2)_____ un día de verano y

(3)_____ mucho calor. En el zoológico

(4)_____ muchos animales salvajes. Yo

(5)_____ muchas ganas de verlos todos pero no pude. Al mediodía,

un elefante se salió y empezó a correr. La gente (6)_____ de miedo.

Nosotros (7)_____ cerca de los flamencos y entramos en el

restaurante. Al final, cerraron el zoológico.

12 ¿De qué nacionalidad eran?

Escribe oraciones diciendo de qué nacionalidad eran los siguientes escritores. Sigue el modelo.

MODELO   Franz Tamayo, Bolivia
          Él era boliviano.

1. Silvina Ocampo y Alfonsina Storni, Argentina

   El era Argentiano

2. Sor Juana Inés de la Cruz, México

   El era Mexicano

3. Rubén Darío, Nicaragua

   El era Nicaraguana Nicaragüense

4. Pablo Neruda, Chile

   El era Chiliano

5. Edgar Allan Poe y Emily Dickinson, Estados Unidos

   El era Americano

6. José Martí y Nicolás Guillén, Cuba

   El era Cubano

7. Horacio Quiroga, Uruguay

   El era Uruguayo

8. Julia de Burgos, Puerto Rico

   El era Puertoriquero

9. Roque Dalton, El Salvador

   El era salvadoreño

10. Joaquín Gutiérrez, Costa Rica

    El era costaricee

13 ¿Qué hacías?

¿Qué hacías cuando eras pequeño(a)? ¿Ibas al zoológico o al parque de atracciones? Escribe uno o dos párrafos sobre lo que hacías en el zoológico o en el parque de atracciones. ¿Cómo se llamaba? ¿Cómo era? ¿Qué había? ¿Con quién ibas? ¿Qué te gustaba hacer allí? ¿Cuánto tiempo te quedabas?

_____

_____

_____

_____

_____

_____

_____

_____

_____

_____

_____

_____

_____

_____

_____

Lección B

1 Definiciones

Completa las siguientes definiciones con las palabras de la caja.

acróbata	banda	*circo*	destreza	**emocionante**
fila	*jaula*	**mago**	*mentira*	oso	peluche	taquilla

1. Un _____ es un lugar de espectáculos donde hay payasos, acróbatas, trapecistas y animales.

2. El _____ es la persona que hace ejercicios gimnásticos en el circo.

3. El _____ oso _____ es un animal grande, con pelo negro o marrón, que se ve en un circo.

4. Un _____ mago _____ es una persona que hace magia.

5. Ver rugir a los leones es _____ emocionante _____.

6. Los malabaristas tienen mucha _____ destresa _____.

7. La _____ taquilla _____ es el lugar donde venden boletos.

8. La _____ fila _____ es una línea de personas que esperan.

9. Una cosa que no es verdad es una _____ mentira _____.

10. La _____ banda _____ es un grupo de músicos que tocan instrumentos.

11. Generalmente, los tigres están en una _____ jaula _____.

12. El _____ es un material con el que hacen ositos.

2 Honduras

Indica si la siguiente información es cierta (C) o falsa (F), según lo que leíste en tu libro.

_____C_____ 1. Los países vecinos de Honduras son México, El Salvador y Costa Rica.

_____F_____ 2. Honduras no tiene playas.

_____C_____ 3. Tegucigalpa es la capital y la ciudad más grande de Honduras.

_____C_____ 4. La ciudad más importante del imperio maya en Honduras era Copán.

_____F_____ 5. La economía de Honduras se basa en la papaya y el arroz.

_____F_____ 6. El huracán Mitch causó daños (damages) increíbles a muchas ciudades de Honduras.

3 Un gran circo

Completa las siguientes oraciones con las formas apropiadas de -ísimo de los adjetivos entre paréntesis. Sigue el modelo.

MODELO Anoche fuimos a un circo <u>buenísimo</u>. (bueno)

1. Los boletos eran _____carísimos_____. (caros)

2. Había _____muchísima_____ gente y la fila era

   _____larguísima_____. (mucha, larga)

3. Los trapecistas hacían ejercicios _____dificilísimos_____. (difíciles)

4. Los payasos eran _____chistosísimos_____. (chistosos)

5. Era _____emocionantísimo_____ cuando los tigres salieron de la jaula. (emocionante)

6. Había un león _____ferocísimo_____ que rugía mucho. (feroz)

7. También había unos osos _____divertidísimos_____. (divertidos)

8. La banda tocaba música _____buenísima_____. (buena)

4 Un circo muy malo

A. Escribe de nuevo el siguiente párrafo, cambiando los adjetivos en *itálica* a las formas apropiadas de **-ísimo.**

> Ayer fui a un <u>circo</u> *malo*. Había *pocos* <u>niños</u>. Los <u>payasos</u> eran *aburridos* y los <u>magos</u> hacían <u>cosas</u> *fáciles*. Los <u>leones</u> eran viejos y gordos. Los <u>osos</u> sí eran *simpáticos*, bailando con <u>flores</u> en la <u>cabeza</u>.

_____

_____

_____

_____

_____

_____

_____

_____

B. Escribe de nuevo el párrafo en el cuadro, esta vez cambiando las palabras <u>subrayadas</u> a las formas apropiadas de **-ito.**

_____

_____

_____

_____

_____

_____

_____

5 Un circo muy bueno

Completa las siguientes oraciones con los adjetivos entre paréntesis. Colócalos en la posición correcta y haz los cambios necesarios. Sigue el modelo.

MODELO   Ésta es la <u>segunda</u> vez _____ que el circo viene a la ciudad. (segundo)

1. La _____*pobre*_____ Alejandra _____ no tenía

   boleto para entrar al circo. (pobre)

2. Su _____*buen*_____ amigo _____ le compró

   _____ boleto ____*otro*_____. (bueno, otro)

3. Los payasos llegaron en un _____*antiguo*_____ coche

   _____. (antiguo)

4. Un _____*mexicano*_____ malabarista _____ hizo

   juegos de mano con _____*mucho*_____ naranjas

   _____. (mexicano, mucho)

5. Los _____*feroz*_____ leones _____ eran muy

   emocionantes. (feroz)

6. Había un desfile con _____*blanco*_____ caballos

   _____. (blanco)

7. El _____ mago _____*viejo*_____ tenía 80

   años. (viejo)

8. Él sacó _____ flamencos _____*doce*_____

   de su sombrero. (doce)

9. Alejandra se compró una _____*nuevo*_____ camiseta

   _____ con un dibujo del circo. (nuevo)

10. El circo era pequeño pero era un _____*grande*_____ circo

    _____. (grande)

6 ¿Qué quiere decir?

Escoge la letra de la respuesta que describe mejor lo que quiere decir cada oración.

___A___ 1. El acróbata viejo hizo ejercicios dificilísimos.

    A. Un acróbata de ochenta y cinco años hizo ejercicios dificilísimos.

    B. Una persona que es acróbata por muchos años hizo ejercicios dificilísimos.

___A___ 2. Un señor pobre vive allí.

    A. Un señor con mala suerte *(luck)* vive allí.

    B. Un señor que tiene poco dinero vive allí.

___B___ 3. Mi viejo amigo se fue de camping.

    A. Mi amigo que conozco hace muchos años se fue de camping.

    B. Mi amigo que tiene setenta y ocho años se fue de camping.

___A___ 4. Enrique tiene un coche nuevo.

    A. Enrique tiene un modelo de coche de este año.

    B. Enrique tiene un coche diferente.

___B___ 5. Ayer fuimos a un zoológico grande.

    A. Ayer fuimos a un zoológico muy bueno y famoso.

    B. Ayer fuimos a un zoológico grande en tamaño.

___B___ 6. El señor Bolaños es un gran profesor.

    A. El señor Bolaños es un profesor muy bueno.

    B. El señor Bolaños es un profesor muy alto.

___A___ 7. El pobre payaso está triste.

    A. Nadie piensa que el payaso es chistoso.

    B. El payaso no tiene dinero.

___B___ 8. Ayer fuimos a un nuevo restaurante.

    A. Ayer fuimos a un restaurante que acaba de abrir.

    B. Ayer fuimos a un restaurante que no conocíamos.

7 Sopa de letras

Encuentra y pon un círculo alrededor de los nombres de diez animales que pueden vivir en una finca. Las palabras están organizadas en forma vertical, horizontal y diagonal.

C	T	R	G	S	C	D	F	G	H	J
K	O	L	O	A	A	E	S	D	F	G
H	R	N	V	I	L	K	R	P	O	I
U	O	Y	E	E	T	L	R	D	E	W
Q	U	I	J	J	J	P	I	Z	O	C
B	X	V	A	G	O	A	B	N	M	L
W	U	E	R	A	Y	V	A	C	A	U
A	S	R	D	L	F	O	G	C	B	N
Z	X	C	R	L	V	B	N	M	K	O
I	P	A	T	O	P	I	U	Y	T	R

8 Analogías

Completa las siguientes analogías con las palabras de la caja. Sigue el modelo.

bosque	establo	gallo	ladrar	luna	oveja	pata	volar

MODELO   jirafa → zoológico → gallina → finca

1. toro → vaca _Gallo_ gallina
2. pierna → señor _ladrar_ burro
3. conejo → saltar pájaro _oveja_
4. persona → hablar perro _pat_
5. sol → día _luna_ noche
6. edificio → ciudad árbol _volar_
7. cuero → vaca lana _establo_
8. familia → casa animales _bosque_

9 ¿Qué es un insulto?

Completa las siguientes oraciones con **Es** o **No es,** de acuerdo con la información cultural que leíste sobre las palabras y los gestos que los hispanohablantes usan para describir los animales.

1. _____ un insulto decir que una persona tiene patas.

2. _____ un insulto decir que una persona tiene piel.

3. _____ un insulto mostrar qué tan alta es una persona con la mano horizontalmente.

4. _____ un insulto decir que alguien es burro.

5. _____ un insulto en Honduras decir que alguien es gallo para el tenis.

10 ¿De quién son los animales?

Escribe de nuevo las siguientes oraciones, usando la forma larga de los adjetivos posesivos. Sigue el modelo.

MODELO   Éstas son nuestras gallinas.
<u>Estas gallinas son nuestras.</u>

1. Éste es mi burro.

_____

2. Éstas son tus ovejas.

_____

3. Éstos son nuestros conejos.

_____

4. Éste es su toro.

_____

5. Éstos son mis patos.

_____

6. Éstas son sus vacas.

_____

7. Éste es nuestro pavo.

_____

11 ¿Son suyos?

Imagina que tu familia tiene una finca y los animales se escaparon. Un vecino llega con algunos animales y pregunta si son de Uds. Contesta que no lo son y usa las palabras entre paréntesis para describir cómo son los suyos. Sigue el modelo.

MODELO ¿Son éstos los cerdos de Uds.? (más grandes)
No, los nuestros son más grandes.

1. ¿Es éste tu burro? (marrón)

   _____

2. ¿Son estos conejos de tu hermana? (grises)

   _____

3. ¿Es ésta la vaca de tus padres? (más gorda)

   _____

4. ¿Es ésta tu gallina? (más grande)

   _____

5. ¿Son éstas las ovejas de Uds.? (más blancas)

   _____

6. ¿Son éstos los pájaros de tu primo? (amarillos)

   _____

7. ¿Es este pavo de tus abuelos? (más pequeño)

   _____

8. ¿Es éste el gato de Uds.? (negro)

   _____

12 Lo bueno y lo malo

¿Tienes un animal en casa? ¿Qué piensas de los siguientes animales? Escribe una oración con **lo** y un adjetivo de la caja para describir cada animal.

MODELO los pájaros
Lo bonito de los pájaros es que cantan.

aburrido	*divertido*	**bonito**	bueno
interesante	chistoso	malo	emocionante

1. los perros

_____

2. los gatos

_____

3. los cerdos

_____

4. los peces

_____

5. los ratones

_____

6. los conejos

_____

13 Lo mucho que (no) me gustó el circo

Piensa en la última vez que fuiste a un circo o que viste un circo en la televisión. ¿Cómo era? ¿Te gustó? Escribe uno o dos párrafos sobre este circo. Di qué animales y qué artistas viste. Describe lo que hacían. Usa las formas de **-ísimo** e **-ito** para darle más vida a la descripción. Al final, di qué fue lo más emocionante o aburrido del circo.

_____

_____

_____

_____

_____

_____

_____

_____

_____

_____

_____

_____

_____

_____

_____

_____

Capítulo 5

Lección A

1 Sopa de letras

Encuentra y pon un círculo alrededor de los nombres de ocho frutas. Las palabras están organizadas en forma vertical, horizontal y diagonal.

X	C	A	S	A	N	D	Í	A
U	Y	I	D	W	E	R	P	Ñ
V	T	O	R	O	N	J	A	E
S	R	T	E	U	Z	E	P	I
D	A	Q	U	A	E	V	A	C
Y	N	X	O	M	C	L	Y	W
Z	A	B	T	P	E	R	A	I
A	Q	Y	O	I	S	L	E	B
P	P	L	E	Ñ	P	N	Ó	I
M	D	U	R	A	Z	N	O	N

2 Eugenio fue al supermercado

Completa el siguiente diálogo con las palabras apropiadas de la caja.

acordé	*bolsa*	cereal	probable	té	todo	*toronjas*

VICTORIA: ¿Qué tienes en la (1)___*acorde*___?

EUGENIO: Tengo (2)___*cereal*___ para el desayuno: pan, leche para el

(3)___*te*___, bolsitas de (4)___*taraja*___

y dos (5)___*tode*___.

VICTORIA: ¿Y papaya?

EUGENIO: Ay, no me (6)___*bolsa*___ de comprar papaya.

VICTORIA: No importa, Eugenio. Es (7)___*probable*___ que todavía

haya en el refrigerador.

3 Países de habla hispana

Mira el siguiente mapa del Caribe. Pon un círculo alrededor de los países de habla hispana.

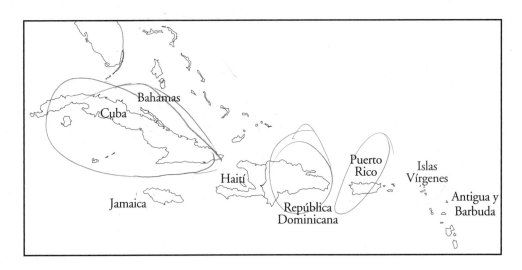

4 El Caribe

Pon un círculo alrededor de la letra de la frase que completa correctamente cada oración.

1. El clima del Caribe es tropical _____.

   A. durante el verano   B. cuando llueve   C. todo el año

2. Cristóbal Colón visitó el Caribe en el siglo _____.

   A. XV   B. XVIII   C. XIX

3. Los países hispanos del Caribe se destacan en _____.

   A. el béisbol, el boxeo   B. el béisbol, la x   C. el boxeo, la natación
      y el básquetbol   natación y el tenis   y el fútbol

4. El merengue, _____ y el mambo son tres ritmos musicales del Caribe.

   A. el tango   B. la cumbia   C. la salsa

5. El autor cubano _____ escribió   *Versos sencillos.*

   A. Nicolás Guillén   B. Rubén Darío   C. José Martí

6 La canción _____ es basada en un verso de *Versos sencillos.*

   A. Guantanamera   B. Habana Vieja   C. De colores

5 ¿Qué hacían?

Mira los dibujos y contesta las preguntas.

1. ¿Qué hacía Arturo cuando se escapó
   el pájaro?

   _____

   _____

4. ¿Qué hacían tus amigos cuando empezó
   a llover?

   _____

   _____

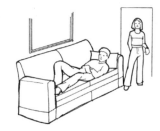

2. ¿Qué hacía Fernando cuando entré?

   _____

   _____

5. ¿Qué hacía Graciela cuando llegó mamá?

   _____

   _____

3. ¿Qué hacía don Julio cuando
   lo llamaste?

   _____

   _____

6. ¿Qué hacían los vecinos cuando vieron
   el pájaro?

   _____

   _____

6 ¿El pretérito o el imperfecto?

Completa las siguientes oraciones con el pretérito o con el imperfecto de los verbos entre paréntesis, según sea apropiado.

1. Esta mañana Humberto _____ a las seis de la mañana. (levantarse)

2. _____ julio y _____ mucho calor. (ser, hacer)

3. Mientras nosotros _____ en el supermercado, Humberto

   _____ el periódico. (estar, leer)

4. Yo solamente _____ una papaya para hacer jugo. (comprar)

5. Cuando tú _____ a la cocina, nosotros

   _____ el almuerzo. (llegar, preparar)

6. Paulina _____ las frutas mientras Humberto

   _____ la mesa. (lavar, poner)

7. Nosotros _____ al mediodía y luego

   _____ al dominó. (comer, jugar)

8. Tú _____ cuando Miguel _____ por

   teléfono. (dormir, llamar)

9. Mis hermanos _____ ir al cine pero mamá

   _____ que no. (querer, decir)

10. Humberto y Paulina _____ a ir a la playa pero

    _____. (ir, llover)

11. Yo siempre voy al parque con mis amigos pero ayer no _____. (ir)

12. Cuando tú _____ niño, te _____

    patinar sobre ruedas. (ser, gustar)

7 Hay, había y hubo

Completa las siguientes oraciones con **hay, había** o **hubo,** según sea apropiado.

1. Voy a ver qué _____ en el refrigerador.

2. Cuando fui al supermercado ya no _____ ciruelas.

3. Anoche _____ una cena muy elegante en casa de Juan.

4. Mientras conducíamos por la calle Domingo _____ mucho tráfico.

5. Me gusta el supermercado nuevo porque siempre _____ todo lo que quiero.

6. El año pasado _____ dos desfiles en nuestro barrio.

7. Antes no _____ muchos animales africanos en el zoológico.

8. ¿Es verdad que anoche a las nueve _____ un concierto en el parque?

8 ¿Qué hubo?

Lee el siguiente aviso y contesta las preguntas con la información correcta.

1. ¿Qué hubo en Palmares el 26 de enero?

   _____

   _____

2. ¿A qué hora empezó?

   _____

   _____

3. ¿Qué artistas había?

   _____

   _____

4. ¿Dónde era el área de conciertos?

   _____

   _____

5. ¿Hubo fuegos artificiales?

   _____

   _____

Cómo, dónde, cuándo

Qué? Gran Concierto Internacional del Frente Frío.
Artistas: Huey Dumbar, Magic One y Charly Cruz. Grupos nacionales: Yaguaré y Pimienta Negra.
¿Dónde? Fiestas Cívicas de Palmares 2003. El campo ferial está sobre la entrada principal a Palmares. El área de conciertos estará al costado del Colegio San Agustín, en Palmares centro.
¿Cuándo? Domingo 26 de enero.
Hora: 12 mediodía.
Entrada: Gratuita.
Teléfonos: 453-4057 ó 452-0107.
Si viaja en autobús: se toman en la Coca Cola, cada pasaje cuesta ₡400 y el horario será continuo, a partir de las 6:15 a. m. y hasta las 12 medianoche. Este horario se mantendrá durante los días de fiesta.

9 ¿A qué restaurante debe ir?

Mira los siguientes avisos y lee lo que las siguientes personas quieren comer. ¿A cuál de los tres restaurantes deben ir? Escribe la letra del restaurante más apropiado en el espacio en blanco.

A

EL ASADO DEL GAUCHO

En un clima fresco, rodeado de una exuberante vegetación y al calor de la chimenea

"Servimos la mejor carne a la parrilla"
- *Cordero*
- *Bife delmónico*
- *Bife de chorizo*
- *Parrillada*
- *Salmón, pechuga, minutas y más*

Tel.: 268-8685
E-mail: asadodelgaucho@hotmail.com

Estamos muy cerca de usted. A 15 minutos de la ULACIT, sobre la carretera a Guápiles 600 m este de Luber Finer.

Horario: Lunes a sábado de 11:00 a.m. a 10:00 p.m. y domingo de 11:00 a.m. a 6:00 p.m.

B

La Masía de Triquell

Comida española e internacional

Esta semana **"Pato al estilo Andaluz"**

Sabana Norte Casa de España 296-3528

De lunes a sábado, de 10 a.m. a 2 p.m. y de 6:45 a 10:30 p.m. Domingos cerrado.

C

EL BALCÓN DEL MARISCO
Rocas DEL MAR

"Brocheta de camarón"
Oferta ₡2.800

MUCHO QUE COMER... POCO QUE PAGAR

Ambiente familiar y rústico, barra con T.V., precios más impuestos. Parqueo propio con guarda. Curridabat. 300 m este del Indoor Club. Tel. 280-0095.

_____ 1. Edgar quiere comer pulpo.

_____ 2. Tito y Ana quieren carne de res.

_____ 3. Raúl quiere comer ternera.

_____ 4. Flor no quiere ni carne, ni pescado, ni mariscos.

_____ 5. Juanita quiere comer cangrejo.

_____ 6. Samuel quiere costillas.

_____ 7. Marcela quiere comer pato.

_____ 8. Eduardo quiere crema de almejas.

Nombre: _____ Fecha: _____

10 Las paladares en Cuba

Completa la siguiente página Web con las palabras apropiadas de la caja. No todas las palabras se usan.

arroz	*casa*	*cafetería*	**frutería**	**grandes**	*mariscos*	*más*
menos	moros y cristianos	*paladar*	pan	*peueños*	*plaza*	

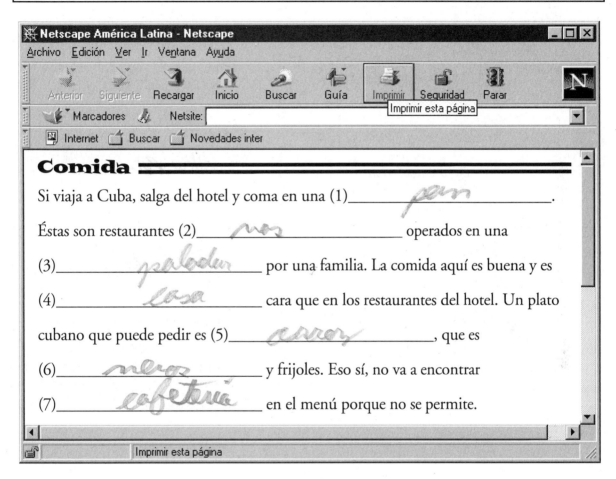

Netscape América Latina - Netscape

Archivo   Edición   Ver   Ir   Ventana   Ayuda

Anterior   Siguiente   Recargar   Inicio   Buscar   Guía   Imprimir   Seguridad   Parar

Imprimir esta página

Marcadores   Netsite:

Internet   Buscar   Novedades inter

Comida

Si viaja a Cuba, salga del hotel y coma en una (1)_____pan_____.

Éstas son restaurantes (2)_____mas_____ operados en una

(3)_____paladar_____ por una familia. La comida aquí es buena y es

(4)_____casa_____ cara que en los restaurantes del hotel. Un plato

cubano que puede pedir es (5)_____arroz_____, que es

(6)_____meroz_____ y frijoles. Eso sí, no va a encontrar

(7)_____cafetería_____ en el menú porque no se permite.

Imprimir esta página

11 Nos reímos mucho

Completa las siguientes oraciones con las formas apropiadas del presente del verbo **reírse.**

1. ¿Por qué _____se_____ _____reíen_____ Uds.?

2. Nosotros _____nos_____ _____reímos_____ porque Hugo nos contó un chiste.

3. Yo siempre _____me_____ _____reío_____ de los chistes de Hugo.

4. Elvira es una persona muy seria entonces nunca _____se_____ _____reíe_____.

5. Y tú, ¿de qué _____te_____ _____reístes_____?

12 Comida frita

Escribe una oración diciendo lo que las siguientes personas fríen, según el dibujo.

MODELO   Miguel
Miguel fríe plátanos.

1. Carlota

_____frie____salchica_____

2. yo

_____frie____cella_____

3. Uds.

_____frie____filete_____

4. tú

_____huevos_____

5. Hernando

_____frie_camaren_____

6. nosotros

_____frienen_tocina_____

13 Por qué no fui a la fiesta

Completa las siguientes oraciones con el pretérito de los verbos entre paréntesis.

1. Perdona que yo no _____venio_____ a tu fiesta pero no

_____pudieo_____. (venir, poder)

2. Iba a ir con Ana pero nosotros no _____cabió_____ en el carro de Max. (caber)

3. Mi hermana mayor me _____conducio_____ a tu barrio pero ella

_____elaye_____ mal las direcciones y no _____safte_____ cómo

llegar a tu casa. (conducir, leer, saber)

4. Yo _____andio_____ caminando por tu barrio toda la noche. (andar)

5. A la medianoche, yo tenía tanta hambre que _____puse_____ unas

salchichas en una olla, las _____freio_____ y me las comí todas. (poner, freír)

6. Graciela te _____ mi regalo, ¿verdad? (traer)

14 ¿Qué hiciste en clase?

Contesta las siguientes preguntas, usando oraciones completas.

1. ¿Viniste a la escuela ayer?

   _____

2. ¿Quién te condujo?

   _____

3. ¿Qué leyeron hoy en clase de español?

   _____

4. ¿Tradujiste el vocabulario del capítulo cinco al inglés?

   _____

5. ¿Se rió alguien en la clase de español?

   _____

6. ¿Quién supo contestar las preguntas de la profesora de matemáticas?

   _____

7. ¿Pudiste terminar todas tus tareas ayer?

   _____

8. ¿Qué trajiste en tu mochila?

   _____

9. ¿Quiénes no quisieron venir a la escuela?

   _____

10. ¿Qué anduviste haciendo a la hora del almuerzo?

    _____

11. ¿Qué comida frieron en la cafetería?

    _____

15 Una cena especial

Piensa en una cena especial a la que fuiste o que tu familia hizo en casa. Escribe un párrafo sobre esta ocasión especial. ¿Qué había para comer? ¿Quiénes vinieron? ¿Qué trajeron los invitados? ¿Qué hacían mientras comían? ¿Hubo carne o mariscos? Usa el pretérito y el imperfecto en tu párrafo, según la situación.

_____

_____

_____

_____

_____

_____

_____

_____

_____

_____

_____

_____

_____

_____

_____

_____

Lección B

1 Crucigrama

Haz el siguiente crucigrama.

Horizontales

3. En una tienda, le pagas al _____.

5. Para un vestido elegante, la mejor_____ es la seda.

7. Dar consejos.

8. Las cebras tienen _____ blancas y negras.

9. Si una blusa roja está _____, se ve rosada.

10. Un vestido, una blusa y una falda son _____.

Verticales

1. Cuando hay un gran _____, hay mucho para escoger.

2. Cuando no tengo tiempo, debo _____.

4. Una tienda que vende rubís.

6. El _____ es donde puedes probarte la ropa en una tienda.

8. Si la persona dice la verdad, la persona tiene _____.

2 La República Dominicana y la moda

Indica si la siguiente información es cierta (C) o falsa (F), según lo que leíste en tu libro.

___F___ 1. La moda no es importante para los jóvenes hispanos.

___C___ 2. Los países latinos tienen muchos diseñadores famosos.

___C___ 3. Oscar de la Renta nació en Santo Domingo.

___C___ 4. Oscar de la Renta estudió historia en España.

___F___ 5. Oscar diseñó un vestido para la fiesta de quinceañera de la hija del embajador de los Estados Unidos.

___C___ 6. Oscar se hizo famoso por una foto publicada en *Life Magazine*.

___F___ 7. Oscar no tiene premios u honores internacionales.

3 ¿Qué estaban haciendo?

Completa las siguientes oraciones con el imperfecto progresivo de los verbos de la caja.

comprar	leer	esperar	probarse	hacer	trabajar	jugar

1. Jaime _estaba esper esperdido_ una revista de deportes.

2. El cajero _estaba haciendo_ en la tienda de ropa.

3. Tú _estabas trabajand_ la tarea de español.

4. Nosotros _estábamos jugaddendo_ frutas en el supermercado.

5. Silvia _estaba leyendo_ el autobús.

6. Los amigos de Marcela _estaban comprando_ al ajedrez.

7. Yo _estaba me probando_ unos pantalones en el vestidor.

4 En la tienda de ropa

Mira cada dibujo y escribe una oración, diciendo lo que estaban haciendo las siguientes personas en la tienda de ropa. Usa el imperfecto progresivo.

1. Gabriela

_____ estaba mirando _____

_____

¿Dónde está el vestidor?

2. Joaquín

_____ estaba ~~pagando~~ _____

_____ trabajando _____

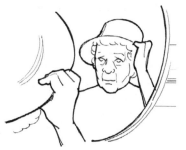

3. doña Violeta

_____ estaba se ~~la~~ _____

_____ probando _____

4. Raquel

_____ estaba escogiendo _____

_____

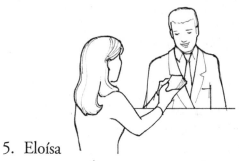

5. Eloísa

_____ estaba pagando _____

_____

6. Carlos y Luis

_____ estaban comprando _____

_____

5 Seguimos estudiando

Usa un elemento de cada columna para escribir siete oraciones en el imperfecto progresivo. Vas a tener que usar los verbos de la columna B más de una vez.

MODELO   Nosotros seguimos estudiando español.

A	B	C
nosotros	estar	caminar por la plaza
Mario y Lilian	seguir	estudiar español
tú	andar	buscar un rubí
doña Josefina	continuar	trabajar en aquella tienda
mis amigos y yo	venir	cantar *Guantanamera*
Mauricio		manejar desde el centro
yo		probarse bermudas
Uds.		leer los poemas de José Martí

1. _____

_____

2. _____

_____

3. _____

_____

4. _____

_____

5. _____

_____

6. _____

_____

7. _____

_____

6 De compras

Completa las siguientes oraciones con el adverbio apropiado, según el adjetivo entre paréntesis.

1. El vestido te queda _____ *perfectamente* _____. (perfecto)

2. No quiero comprar nada; _____ *solamente* _____ quiero mirar. (solo)

3. Rebeca se prueba las prendas _____ *rápidamente* _____. (rápido)

4. En esta tienda hay ofertas _____ *diariamente* _____. (diario)

5. El cajero me dio el cambio _____ *amablemente* _____. (amable)

6. A mí me gustan las joyas, _____ *especialmente* _____ el rubí. (especial)

7. _____ *tristemente* _____ no tengo el dinero para comprarlo. (triste)

8. Aquí se puede pagar _____ *electrónicamente* _____. (electrónico)

7 ¿Cómo lo hacían?

Completa las siguientes oraciones con adverbios terminados en **-mente.** Usa los adjetivos en la caja para formar los adverbios.

cariñoso	**cómico**	*fácil*	**lento**	*solo*

1. Abuelito nos leía cuentos _____ *lentamente* _____ y nos reíamos mucho.

2. Abuelita conducía _____ *solamente* _____ porque no le gustaba ir rápido.

3. Nosotros _____ *cómicamente* _____ íbamos a la playa en Semana Santa.

4. Yo me despedía de mis tíos _____ *fácilmente* _____ porque los quería.

5. Mi hermano se podía comer _____ *cariñosamente* _____ toda una sandía.

8 En un restaurante

Completa las siguientes oraciones con las palabras apropiadas de la caja.

```
    aderezo        agrada       camarero      suelo

        cuenta      mayonesa       pelo
                                              propina
    salsa            secreto      cocinero
```

1. Vamos mucho a este restaurante, porque nos _____
   la comida.

2. El _____ prepara una crema de camarones deliciosa.

3. Nadie sabe lo que tiene la sopa porque es un _____
   del restaurante.

4. El _____ sirve la comida a los señores.

5. El sandwich de atún lleva _____ y un poco de mostaza.

6. Tobías le pone _____ de tomate a los huevos.

7. Yo _____ pedir carne de res pero hoy voy a pedir mariscos.

8. Cuando Sonia te dijo que comía carne de mono, te estaba tomando

   el _____.

9. Ponle este _____ a la carne para darle un buen sabor.

10. La _____ es de treinta dólares.

11. Dejamos una buena _____ porque el servicio fue bueno.

9 La comida criolla

Completa las siguientes oraciones sobre la comida puertorriqueña con las palabras apropiadas de la caja.

gandules	mofongo	sancocho	tembleque	tostones

1. El arroz con _____ es un plato típico de Puerto Rico.

2. El _____ es una sopa criolla.

3. Los _____ son plátanos verdes que se cortan y se fríen.

4. El _____, también de plátano verde, tiene bastante ajo.

5. El _____ es un flan de leche de coco.

10 Crea un menú

Imagina que trabajas en un restaurante. Completa el siguiente menú, tratando de incluir platos puertorriqueños.

Menu

Sopas

_____

_____

Platos principales

_____

_____

Postres

_____

_____

Jugos

_____

_____

_____

Tradición en Carne, Corte y Brasa

Longaniza

Ahora también de noche, los jueves, viernes y sábado
Calle 93 No 17-23. Teléfono: 610 52 04

11 Hacía un mes...

Contesta las siguientes preguntas, usando las palabras entre paréntesis.

MODELO ¿Cuánto tiempo hacía que no comías sancocho? (un mes)
Hacía un mes que no comía sancocho.

1. ¿Cuánto tiempo hacía que Alejandro no cocinaba? (dos semanas)

   _____

   _____

2. ¿Cuánto tiempo hacía que no ibas a un parque de atracciones? (un año)

   _____

   _____

3. ¿Cuánto tiempo hacía que no veíamos una película de terror? (meses)

   _____

   _____

4. ¿Cuánto tiempo hacía que Diana no tocaba el piano? (tres años)

   _____

   _____

5. ¿Cuánto tiempo hacía que no comprabas pantalones desteñidos? (mucho tiempo)

   _____

   _____

6. ¿Cuánto tiempo hacía que Olga no se reía tanto? (días)

   _____

   _____

7. ¿Cuánto tiempo hacía que los chicos no jugaban al básquetbol? (dos semanas)

   _____

   _____

12 ¿Cuánto tiempo hacía?

Tu amigo(a) te cuenta lo que hizo este fin de semana. Para cada comentario, pregunta cuánto tiempo hacía que no lo hacía. Sigue el modelo.

MODELO Fui al zoológico.
¿Cuánto tiempo hacía que no ibas al zoológico?

1. ¡Comí un asopao delicioso!

   _____

   _____

2. Mis primos y yo fuimos a bailar al club Jazz Cubano.

   _____

   _____

3. Vi a Sofía en el café San Juan.

   _____

   _____

4. Fui a pasear en bote.

   _____

   _____

5. Me acosté a la medianoche.

   _____

   _____

6. Raúl y yo anduvimos en un coche deportivo.

   _____

   _____

7. Mi hermana me compró una gorra nueva.

   _____

   _____

13 Estaba comprando ropa

Imagina que tienes un(a) amigo(a) en Puerto Rico a quien le envías e-mail cada semana. Escríbele un mensaje sobre la última vez que fuiste a comprar ropa. ¿Cuánto tiempo hacía que no ibas de compras? ¿Qué buscabas? ¿Adónde fuiste? ¿Tenían un buen surtido? ¿Te probaste muchas cosas? ¿Viste a alguien que conoces? ¿Qué estabas haciendo cuando se vieron?

| ▼ | Normal ▼ | MIME ▼ | QP 📥 📄 ◀ 🗂 | **Enviar** |

Para:
De:
Asunto:
Cc:

_____

_____

_____

_____

_____

_____

_____

_____

_____

_____

_____

_____

_____

_____

Capítulo $\boxed{6}$

◆ Lección A

1 En el hogar

Identifica las cosas numeradas en el siguiente dibujo.

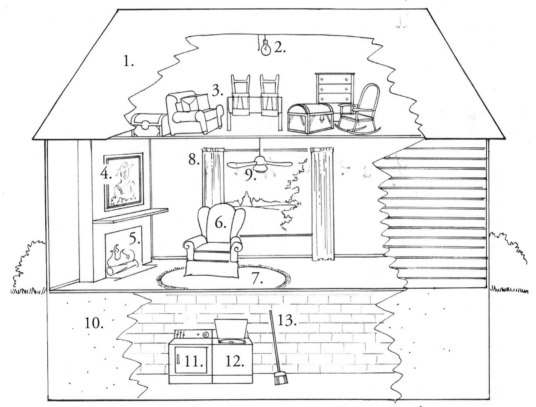

1. _____ el ático _____
2. _____ bombilla _____
3. _____ el sillón _____
4. _____ bisabuela _____
5. _____ chimenea _____
6. _____ el sillón _____
7. _____ la alfombra _____

8. _____ cortina _____
9. _____ el ventilador _____
10. _____ sótano _____
11. _____ la secadora _____
12. _____ la lavadora _____
13. _____ el sótano escola _____

2 Bolivia

Haz el siguiente crucigrama, usando la información que leíste sobre Bolivia.

Horizontales

1. El Altiplano está cerca de los _____.

4. El lago _____ está entre Bolivia y Perú.

6. El lago _____ tiene agua salada.

7. Las tres lenguas oficiales de Bolivia: español, _____ y aymara.

8. En _____ hay muchas minas de plata.

Verticales

1. La Paz es la capital más _____ del mundo.

2. La capital constitucional de Bolivia es _____.

3. _____ Bolívar fue el primer presidente de Bolivia.

5. Bolivia tiene dos _____.

3 ¿Qué aconseja?

¿Qué aconseja Repsol Butano, una compañía de gas? Lee el siguiente aviso y, luego, indica si las siguientes oraciones son ciertas (C) o falsas (F).

Algunos Consejos Repsol Butano:

Asegura la ventilación en las habitaciones donde estén funcionando los aparatos de gas.

Vigila que el tubo flexible no esté en contacto con las paredes del horno.

Revisa periódicamente los elementos y aparatos de tu instalación.

Cierra el regulador de la bombona y los mandos de los aparatos cuando no estén en uso.

____C____ 1. Aconsejan que haya ventilación en las habitaciones.

____C____ 2. Aconsejan que revisemos periódicamente los aparatos de gas.

____F____ 3. Aconsejan que pongamos el tubo contra las paredes del horno.

____C____ 4. Aconsejan que abramos el regulador de la bombona cuando no usemos

los aparatos.

____F____ 5. Aconsejan que cerremos las ventanas en los cuartos donde haya aparatos de gas.

4 Que todos ayuden en casa

¿Qué quiere mamá que todos hagan? Completa los siguientes mandatos indirectos con el subjuntivo de los verbos entre paréntesis.

1. Que yo _____barra_____ el sótano. (barrer)

2. Que Uds. _____cuelguen_____ la ropa. (colgar)

3. Que Rubén _____saque_____ la basura. (sacar)

4. Que nosotros _____hagamos_____ las camas. (hacer)

5. Que Victoria _____ponga_____ la ropa sucia en la lavadora. (poner)

6. Que tú _____pases_____ la aspiradora en la alfombra. (pasar)

5 Arreglemos la casa

La familia de Daniela piensa arreglar la casa durante las vacaciones. Contesta las siguientes preguntas, usando las frases entre paréntesis.

MODELO   ¿Qué quiere Daniela? (todos ayudar)
              <u>Daniela quiere que todos ayuden.</u>

1. ¿Qué dice el padre? (Franco arreglar el aire acondicionado)

   <u>Padre dice que Franco</u> _____

   _____

2. ¿Qué prefiere Franco? (José y él cortar el césped)

   <u>Franco prefiere que José</u> _____

   _____

3. ¿En qué insiste la madre? (Daniela limpiar el ático)

   <u>madre insiste que Daniela</u> _____

   _____

4. ¿Qué aconsejas tú? (ellos lavar las cortinas)

   <u>tu aconsejas que ellos</u> _____

   _____

5. ¿Qué pide José? (nosotros comprar una nueva escoba)

   <u>Jose pide que nosotros</u> _____

   _____

6. ¿Qué dice Daniela? (mamá colgar la ropa en el armario)

   <u>Daniela dice que mamá</u> _____

   _____

7. ¿Qué necesita el padre? (los chicos ir afuera)

   <u>padre necesita que los chicos</u> _____

   _____

8. ¿Qué pides tú? (nosotros descansar un poco)

   <u>tu pides que nos</u> _____

   _____

6 Todos quieren algo

Usa elementos de cada columna para escribir siete oraciones en el subjuntivo. Haz los cambios necesarios. Sigue el modelo.

MODELO Uds. aconsejan que nosotros conduzcamos lentamente.

A	B	C	D
yo	decir	mi hermano(a)	preparar la comida
tú	querer	mi amigo(a) y yo	ayudar a la abuela
papá	aconsejar	tú	cortar el césped
mis amigos	preferir	nosotros	hacer la tarea
nosotros	insistir	los estudiantes	limpiar el ático
la profesora	necesitar	yo	cambiar la bombilla
mi tío	permitir	el abuelo	apagar el aire acondicionado
Uds.	pedir	mamá	conducir lentamente

1. _Yo decir mi hermano prepara_
   _tú_

2. _tú querer mía amiga ayudar_

3. _papa aconsejar tú cortes_

4. _mis amigos preferir nos hacer_

5. _nos insistir los limpiar_

6. _la necesitar yo cambiar_

7. _mi tío permitir el abuer apagar_

7 La familia de Enrique

Completa las siguientes oraciones con las palabras de la caja.

aire libre	beso	*cortadora*	**ladrillo**
madrastra	**premio**	*rejas*	*se encarga*

1. Vivo con mi abuela, mi padre y la esposa de mi padre, mi _____.

2. Nuestra casa es de _____.

3. Todas las ventanas tienen _____.

4. Mi padre _____ del jardín.

5. Ayer él estaba arreglando la _____ de césped porque no encendía.

6. La semana pasada gané un _____ en una competencia de arte.

7. Cuando gané, mi abuela me dio un gran _____.

8. Mañana, mi familia y yo vamos a la finca de un tío para estar al

   _____.

8 Las casas coloniales

Pon un círculo alrededor de las palabras que completan correctamente las siguientes oraciones, según la información que leíste en tu libro sobre las casas coloniales.

1. Los edificios coloniales en Sucre, Bolivia, son (blancos / amarillos).

2. Muchos edificios coloniales tienen balcones y (cercas / rejas).

3. Los muros de las casas coloniales son de (adobe / ladrillo).

4. Las casas coloniales tienen (pocas / muchas) ventanas que dan a la calle.

5. La parte central de una casa colonial es (la cocina / el patio).

6. Alrededor del patio hay un (corredor / jardín).

7. Los patios están llenos de (muebles / flores).

9 Un nuevo hogar

La familia Rodríguez quiere una nueva casa. Completa el siguiente diálogo con las formas correctas del subjuntivo de los verbos entre paréntesis.

RODRIGO: Necesitamos una casa nueva.

DOLORES: Sí, queremos que (1. ser)_____ una casa grande.

BELINDA: Y que (2. tener)_____ un jardín bonito.

EDUARDO: Yo quiero que la casa (3. estar)_____ cerca

del centro.

RODRIGO: ¿Por qué no vemos casas esta tarde?

BELINDA: Que (4. ir)_____ Uds. Yo tengo que estudiar. Mi

profesor quiere que nosotros (5. saber)_____

el subjuntivo para mañana.

EDUARDO: Yo tampoco puedo ir. Abuelito quiere que yo le

(6. dar)_____ un paseo esta tarde.

RODRIGO: Yo quiero que Uds. dos nos (7. dar)_____

sus opiniones.

DOLORES: Sí, yo también prefiero que todos nosotros

(8. ir)_____ juntos a ver casas.

RODRIGO: Entonces lo hacemos mañana. Les pido a Uds. que

(9. estar)_____ listos a las dos.

10 Una fiesta entre parientes

Completa las siguientes oraciones con el subjuntivo de los verbos entre paréntesis.

1. Papá necesita que tú _____ a la casa de la abuela ahora mismo. (ir)

2. La abuela quiere que nosotros le _____ la lista de los parientes. (dar)

3. Queremos que ella _____ quiénes vienen a la fiesta. (saber)

4. Yo prefiero que la fiesta _____ afuera al aire libre. (ser)

5. Julia insiste en que _____ música folklórica. (haber)

6. Tío Ernesto pide que nosotros _____ en la fiesta hasta el final. (estar)

11 Nuestros padres

Escribe de nuevo las siguientes oraciones sin usar el subjuntivo. Sigue el modelo.

MODELO   Nuestros padres no nos dejan que salgamos tarde.
          Nuestros padres no nos dejan salir tarde.

1. Nuestros padres no permiten que digamos mentiras.

   _____

   _____

2. Nuestra madre hace que nosotros ayudemos con los quehaceres.

   _____

   _____

3. Nuestro padre deja que nosotros naveguemos por la internet.

   _____

   _____

4. Ellos permiten que nosotros demos nuestras opiniones.

   _____

   _____

5. Nuestros padres hacen que nosotros seamos amables.

   _____

   _____

12 En el subjuntivo

Escribe de nuevo las siguientes oraciones, usando el subjuntivo. Sigue el modelo.

MODELO El tío Roberto nos permite ver su coche deportivo.
<u>El tío Roberto nos permite que veamos su coche deportivo.</u>

1. El abuelo nos permite subir al ático.

   _____

   _____

2. Mamá no te deja ver mucha televisión.

   _____

   _____

3. El bisabuelo nos hace comprarle un ventilador.

   _____

   _____

4. Elena te invita a almorzar en su casa.

   _____

   _____

5. Abuelita me hace estudiar mucho.

   _____

   _____

6. Paulina nos hace conocer el sótano.

   _____

   _____

7. Alejandro nos permite tocar su iguana.

   _____

   _____

8. Mónica nos deja entrar al lavadero.

   _____

   _____

13 Vengan a mi fiesta

Imagina que vas a dar una gran fiesta para tu cumpleaños. Los miembros de tu familia te van a ayudar a limpiar y arreglar la casa. Escribe lo que quieres, insistes en, pides, necesitas y prefieres que cada miembro de la familia haga. Incluye por lo menos seis oraciones.

_____

_____

_____

_____

_____

_____

_____

_____

_____

_____

_____

_____

_____

_____

Lección B

1 Hechos y opiniones

Completa las siguientes oraciones con las palabras apropiadas de la caja.

club	*complace*	llave	preciso	*regla*	tiempo

1. Adrián y Patricia van a jugar al tenis en el _____.

2. Una _____ de la piscina es no correr.

3. Un buen camarero _____ a los clientes.

4. Para encender el carro necesitas la _____.

5. Es _____ que le pongas gasolina al carro.

6. Papá insiste en que regresemos a _____.

2 Club Social

Lee la siguiente invitación del Club Social. Luego contesta las preguntas con la información correcta.

1. ¿Para quién es la invitación?

   _____

   _____

   _____

2. ¿Quién se complace en invitarlo?

   _____

   _____

   _____

> *La Junta Directiva se complace en invitarlo para que*
> *en compañía de su señora e hijos celebremos el*
> *XL Aniversario de nuestro Centro Social.*
>
> *Sede del Club, Octubre*
>
> *Señor(a)* Jaime Sandoval y Sra. _____
>
> *Esta tarjeta es personal e intrasmisible y su presentación será indispensable para entrar al Club.*
>
> Nº 0537

3. ¿Qué van a celebrar?

   _____

4. ¿Dónde va a ser la fiesta?

   _____

5. ¿Qué es preciso que traiga para entrar?

   _____

3 Los países bolivarianos

Pon un círculo alrededor de la letra de la frase que completa correctamente cada oración, según la información que leíste en tu libro.

1. Los países bolivarianos son Bolivia, Colombia, Ecuador, Venezuela y _____.

   A. Chile   B. Perú   C. Argentina

2. Simón Bolívar ayudó a libertar estos países de _____.

   A. los ingleses   B. los franceses   C. los españoles

3. Simón Bolívar es conocido como _____.

   A. El Libertador   B. el héroe mundial   C. El Presidente

4. Simón Bolívar nació en _____, en 1783.

   A. Sucre, Bolivia   B. Caracas, Venezuela   C. Santa Marta, Colombia

5. Simón Bolívar murió en _____, en 1830.

   A. Sucre, Bolivia   B. Caracas, Venezuela   C. Santa Marta, Colombia

6. El sueño de Bolívar era unir a las repúblicas en una nación bajo el nombre de _____.

   A. la República Bolívar   B. la Gran Venezuela   C. la Gran Colombia

7. El objetivo de los países bolivarianos es _____.

   A. la unidad   B. la independencia   C. la conquista

4 Sopa de letras

Encuentra y pon un círculo alrededor de diez verbos que expresan emoción. Las palabras están organizadas en forma horizontal, vertical y diagonal.

M	E	R	A	D	I	V	E	R	T	I	R
C	O	M	P	L	A	C	E	R	A	S	D
F	G	L	R	H	E	J	K	Ñ	M	Z	Y
U	F	I	E	O	A	G	R	A	D	A	R
N	A	L	O	S	E	W	R	Z	X	C	V
B	S	N	C	M	T	L	E	A	O	P	I
W	C	G	U	S	T	A	R	G	R	H	J
S	I	U	P	Q	U	I	R	E	D	F	G
E	N	C	A	N	T	A	R	H	E	L	P
B	A	N	R	S	X	C	V	B	I	O	L
K	R	J	I	N	T	E	R	E	S	A	R

5 En casa

Completa las siguientes oraciones con el subjuntivo de los verbos entre paréntesis.

1. A mamá le agrada que nosotros _____ nuestros cuartos. (arreglar)

2. A papá le molesta que mi hermano no _____ por teléfono. (llamar)

3. A ellos les parece bien que tú _____ las reglas de la casa. (seguir)

4. Isabel tiene miedo que yo _____ de las llaves. (olvidarse)

5. Dudo que Antonio _____ muy responsable. (ser)

6. Nosotros tememos que Juan _____ muy rápido. (conducir)

7. Les encanta que nosotros _____ a tiempo. (regresar)

6 Me encanta que viajemos

Las siguientes personas piensan ir al Hostal Balsa. ¿Qué piensan y sienten? Escribe cinco oraciones, combinando elementos de cada columna.

MODELO   A mí me encanta que viajemos a Puerto Pérez.

Ω ΩΩΩΩΩΩΩΩΩΩΩΩΩΩ ΩΩΩΩΩΩΩΩΩΩΩΩΩΩ

HOSTAL BALSA

A la orilla del Lago Titicaca
Deliciosa Comida de Pescado
Lanchas para las Islas de Suriqui
Quebraya - Pariti

PUERTO PÉREZ

Puerto Pérez, 65 Km. de La Paz vía Batallas

Reg. IBT - AVT - 010 - 1   —   F. IBT - LP - 128 -01

yo	alegrar	nuestra familia	viajar a Puerto Pérez
Daniel	encantar	nosotros	pasear en bote
nosotros	interesar	tú	comer pescado
mis amigos	parecer bien	Laura	no querer ir
Rubén	preocupar	Uds.	conocer el lago Titicaca
tú	agradar	yo	dormir en un hostal

1. _____

_____

2. _____

_____

3. _____

_____

4. _____

_____

5. _____

_____

7 Una fiesta en el club

Lorena y Jaime están en una fiesta. Lorena expresa sus opiniones sobre la fiesta pero Jaime duda todo lo que ella dice. Escribe otra vez las siguientes oraciones en forma negativa. Haz los cambios que sean necesarios.

MODELO   Creo que la fiesta es aburrida.
<u>No creo que la fiesta sea aburrida.</u>

1. Estoy segura de que hay más de trescientas personas.

   _____

   _____

2. Creo que la fiesta se termina pronto.

   _____

   _____

3. Pienso que la música está muy fuerte.

   _____

   _____

4. Creo que las papas tienen mucha sal.

   _____

   _____

5. Estoy segura de que Juana y Sergio llegan.

   _____

   _____

6. Pienso que hace mucho calor aquí adentro.

   _____

   _____

7. Creo que Humberto lo está pasando bien.

   _____

   _____

8. Estoy segura de que la torta es de chocolate.

   _____

   _____

8 Quiero unos aparatos

Mira los dibujos y di qué aparatos quieres, según las descripciones. Sigue el modelo.

MODELO   ser bueno
Quiero una tostadora que sea buena.

1. hacer ocho tazas de café

_____

_____

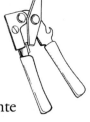

4. abrir fácilmente

_____

_____

2. ser seguro

_____

_____

5. poder añadir hielo

_____

_____

3. tener vapor

_____

_____

6. ser eléctrico

_____

_____

9 Las celebraciones familiares

Indica si la siguiente información es cierta (C) o falsa (F), según lo que leíste en tu libro.

_____ 1. En los pueblos, las celebraciones familiares incluyen a los compadres y las comadres.

_____ 2. Los compadres y las comadres son los padres de la esposa del hijo.

_____ 3. En Ayabaca, Bolivia, hay una fiesta especial para celebrar la relación entre compadres y padres.

_____ 4. Todos los países bolivarianos celebran las bodas de la misma forma.

_____ 5. Las arras son monedas de oro que las familias de los novios de una boda se regalan.

_____ 6. En Colombia, algunas familias se regalan tres monedas en Año Nuevo para traer suerte.

10 Es necesario

Completa las siguientes oraciones con las expresiones impersonales de la caja que correspondan mejor.

es dudoso   es importante   es probable   es una lástima   no es verdad

1. Porque hay muchos hispanos en los Estados Unidos _____ que aprendamos español.

2. No todos aprenden español; _____ que haya personas que no quieran aprender una nueva lengua.

3. La población hispana está creciendo (growing) y _____ que siga creciendo.

4. _____ que los hispanos no sean inteligentes.

5. Nuestro barrio quiere construir un museo de arte latino pero

   _____ que lo haga porque no tiene dinero.

11 Más vale

Lee el siguiente aviso para los peatones *(pedestrians)*. Luego completa las oraciones con los verbos apropiados.

Evite sanciones y multas Desde el 8 de noviembre

NUEVO CÓDIGO DE TRÁNSITO

PEATONES

INFRACCIÓN	SANCIÓN
* No usar los puentes peatonales.	$10.300. 1 salario mínimo diario.
* No cruzar por las esquinas, las cebras y bocacalles.	
* Invadir la calzada con patines, patinetas o monopatín.	Asistencia a un curso obligatorio de educación vial.
* Subirse o bajarse de un carro en movimiento.	
* Transitar por vías férreas o túneles.	

Si usted no cumple con la sanción irá a la cárcel de 1 a 6 días.

1. Es importante que los peatones _____ los puentes peatonales.

2. Es necesario que nosotros _____ por las esquinas.

3. Es mejor que Uds. no _____ sobre las aceras.

4. Más vale que tú no _____ ni

   _____ de un carro que esté andando.

5. No es verdad que los peatones _____ transitar por los túneles.

12 Es preciso

Camilo y sus amigos se van de camping. ¿Qué consejos les da el señor Yepes? Escribe oraciones completas con los siguientes elementos. Sigue el modelo.

MODELO   preciso / Uds. / llevar mucha agua
         Es preciso que Uds. lleven mucha agua.

1. importante / Uds. / tener un celular

_____

2. posible / hacer frío por las noches

_____

3. no conviene / tú / llevar / una cafetera

_____

4. no / seguro / Pablo / saber pescar

_____

5. preciso / tú / tener cuidado

_____

6. probable / tu prima / ir con Uds.

_____

7. lástima / nosotros / no poder ir

_____

8. dudoso / Uds. / pasarlo mal

_____

9. mejor / nadie / estar solo

_____

10. más vale / Uds. / no olvidarse las llaves del carro

_____

13 Las reglas de la casa

Piensa en las reglas de tu casa o de la casa de un pariente o amigo(a). ¿Qué quieren los padres que los hijos hagan o no hagan? ¿Cómo se sienten los hijos? Escribe dos párrafos sobre este tema. En el primer párrafo, escribe cuatro o cinco reglas, usando expresiones impersonales. En el segundo párrafo, escribe las opiniones de los hijos, usando verbos de emoción.

_____

_____

_____

_____

_____

_____

_____

_____

_____

_____

_____

_____

Capítulo 7

Lección A

1 Noticias de la semana

Completa el siguiente párrafo con las palabras apropiadas de la caja.

accidentes	*acontecimiento*	*catástrofes*	mordió
heridas	huracán	**destrucción**	
normal	reportero	*temblor*	*testigo*

Ésta ha sido la semana de (1)___mordió___. El fin de semana, hubo un fuerte

(2)___huracán___ cuyos vientos barrieron muchas casas en la costa.

El miércoles, en el norte del país, un (3)___heridas___ causó mucha

(4)___normal___. Los (5)___reportero___ en las carreteras

continúan y muchas personas con (6)___temblor___ serias pararon en el

hospital. El sábado, un león del zoológico Martí (7)___testigo___

al (8)___accidentes___ Saúl Bolaños del canal uno.

Un (9)___heridas___ dice que el león pensaba que su mano era comida.

Hoy día, no hay ningún (10)___acontecimiento___. Parece un día

(11)___catástrofes___ y eso es una buena noticia.

2 Noticias del mundo

Lee las siguientes noticias (sin preocuparte de entender todas las palabras). Decide qué tipo de noticia es. Escribe la letra de la noticia en el espacio que corresponde.

A. Rembrandt

Una misteriosa pintura, supuestamente un Rembrandt, vendida por un argentino en Quebec intriga a las autoridades canadienses. La obra fue comprada por más de 12 millones de dólares por un cliente anónimo, y fue enviada a Alemania para ser analizada. El experto argentino nunca presentó el certificado de autentificación en forma debida, por lo que el gobierno canadiense está preocupado de que una obra susceptible de pertenecer al patrimonio de ese país haya salido del territorio.

B. **Temblor en Quepos**

Un sismo con una magnitud de 3,9 grados en la escala Richter se produjo ayer –a las 11:23 a. m.–, informó la Red Sismológica Nacional (RSN).

El epicentro del movimiento fue ubicado 30 kilómetros al sur de Quepos, Puntarenas, y se produjo por el choque de la placa Coco con la Caribe.

C. **Choque contra toros**

Miguel Ángel Rojas Alfaro sufrió lesiones de consideración ayer –a las 4 a. m.– al chocar el microbús que conducía contra dos toros, informó el Ministerio de Seguridad Pública.

D. HERNÁN ÁVALOS

Un avezado ladrón fue detenido la madrugada de ayer por una patrulla de Carabineros de la 37ª Comisaría de Vitacura, en los momentos precisos que desvalijaba la tienda de ropa deportiva "Prolimir", ubicada a la altura del 10.000 de la avenida del mismo nombre.

E. | Puerta del Sol |

Protesta contra la cría y muerte de animales

EFE. La Organización Derechos de los Animales organizó ayer una concentración en la puerta del Sol para protestar contra la caza, cría y muerte de los animales para la confección de prendas de piel. Miembros de dicha organización denunciaron esta realidad disfrazándose de animales y encerrándose en jaulas.

F. ● El Foro Iberoamérica de Toledo reunió a intelectuales, políticos y empresarios de España, Portugal y otros diez países de habla española y lusa.

G. **JESÚS BASTANTE**
MADRID. «Santa María de La Almudena, Reina de la Paz», ha sido el lema de las celebraciones en honor a la patrona de Madrid, que ayer vivieron su momento más álgido en su fiesta mayor. Desde las nueve de la mañana, decenas de fieles se fueron acercando a la catedral para depositar una ofrenda floral a los pies de la imagen. Tanto en el templo catedralicio como en la cripta hubo misas durante todo el día.

H. AFP/AP

Washington — Una mujer que usó métodos para la fertilidad dio a luz ayer sábado a sextillizos —tres niños y tres niñas—, en el estado de Kansas y las autoridades del hospital donde se produjo el múltiple alumbramiento dijeron que estaban todos bien.

_____ 1. un robo

_____ 2. una protesta

_____ 3. una reunión

_____ 4. un accidente

_____ 5. una celebración

_____ 6. un misterio

_____ 7. un temblor

_____ 8. un acontecimiento

3 El Uruguay

Indica si las siguientes oraciones son ciertas (C) o falsas (F), según la información que leíste en tu libro.

_____C____ 1. El nombre oficial del Uruguay es la República Oriental del Uruguay.

_____F____ 2. El Uruguay es el país más grande de América del Sur.

_____F____ 3. Los países vecinos del Uruguay son el Brasil y el Paraguay.

_____C____ 4. El Río de la Plata es parte del Uruguay.

_____F____ 5. La capital del Uruguay es Punta del Este.

_____F____ 6. La ciudad más grande del Uruguay es Montevideo.

_____C____ 7. La mayor parte de la población del Uruguay es de origen aymara y quechua.

4 En Punta del Este

Completa el siguiente artículo sobre Punta del Este con el pretérito perfecto de los verbos entre paréntesis.

Turistas invaden Punta del Este

Este verano *(1. haber)* ___ha habido___ una mayor

cantidad de turistas en Punta del Este. Se dice que este verano

*(2. ser)*_____ el mejor en muchos años.

No sólo *(3. visitar)*_____ turistas

argentinos, sino también turistas brasileños y europeos. De la mañana a la tarde las

playas *(4. estar)* _____ llenas de gente. Algunos hoteles

*(5. tener)*_____ que poner el cartel: No hay habitaciones

disponibles. Dijo un joven francés: "Nosotros *(6. ir)*_____ a

muchos lugares bonitos antes, pero éste es el más divertido".

Punta
del Este

---

5 Las noticias de hoy

¿Qué ha pasado hoy? Combina elementos de cada columna para escribir siete oraciones completas.

A	B	C	D
yo	he	vuelto	(a) un niño
un oso	has	ido	la protesta de los taxistas
nosotros	ha	visto	(d)el accidente del avión
pocas personas	han	hablado	al país
el presidente	hemos	escuchado	(con) los testigos
tú		mordido	(d)el robo del banco
los reporteros		mostrado	(a) la celebración

1. _____ yo he ido los testigos _____

2. _____ un oso ha mordido un niño _____

3. _____ nos hemos mordido el accidente del avión _____

4. _____ pocas personas han mostrado el robo del banco _____

5. _____ el presidente ha hablado la celebración _____

6. _____ tú has escuchado la protesta _____

7. _____ los reporteros han visto al país _____

6 Las últimas noticias

¿Qué ha pasado? Completa el siguiente diálogo, usando el pretérito perfecto de los verbos de la caja.

abrir	decir	hacer	leer	morir
oír	poner	traer	ver	volver

HORACIO: Salma, ¿(1)_____ *oír* *has visto*_____ las noticias en la televisión?

SALMA: No.

HORACIO: ¿(2)_____ *leer* _____ el periódico?

SALMA: No, tampoco. Lo único que yo (3)_____ *hacer* _____ es

estudiar.

HORACIO: ¿Entonces no (4)_____ *traer* _____ lo que pasó en el zoológico?

¡Alguien (5)_____ *ver* _____ la jaula de los tigres y un tigre se

ha escapado! Ya (6)_____ *volver* _____ dos ovejas en una granja

que está cerca del zoológico.

SALMA: ¡No puede ser! ¿Qué más (7)_____ *morir* _____ los reporteros?

HORACIO: Pues, que el zoológico (8)_____ *leer* _____ a un experto para

capturarlo y que la ciudad (9)_____ *decir* _____ policía en

todas las calles.

(Llega Andrés.)

SALMA: ¡Espero que lo encuentren rápido!

ANDRÉS: ¿Encuentren el tigre? ¿No oyen Uds. las noticias? El tigre que escapó esta mañana ya

(10)_____ *hacer* _____ al zoológico.

7   ¿Ya lo han hecho?

Di si las personas ya han hecho o todavía no han hecho las siguientes cosas, según los dibujos. Sigue los modelos.

Alma / poner la mesa
Alma ya ha puesto la mesa.

Alma / poner la mesa
Alma todavía no ha puesto la mesa.

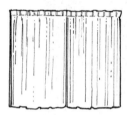

1. Sonia / abrir las cortinas

_____

4. la abuela / volver a casa

_____

_____

2. Guillermo / hacer la cama

_____

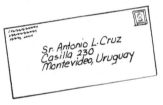

5. yo / escribir la carta

_____

3. los niños / romper la piñata

_____

_____

6. nosotros / cubrir la jaula del pájaro

_____

_____

8 Crucigrama

Haz el siguiente crucigrama.

Horizontales

1. Un programa de televisión chistoso.

8. Los _____ comerciales tratan de vender un producto.

9. Si no es nacional, es _____

11. Nunca ha fracasado; siempre ha tenido _____.

12. Cuando una persona está aburrida o cansada, _____.

Verticales

2. Los noticieros _____ sobre los sucesos del mundo.

3. Un juego en donde se ganan premios.

4. Persona que canta.

5. El grupo de personas que ven televisión.

6. Si no divierte, _____.

7. Mujer actor.

10. Sonido al reír.

9 La televisión uruguaya

Completa las siguientes oraciones con las palabras apropiadas de la caja.

canales	**comedia**	extranjeros	*noticieros*	participa	*telenovelas*

1. En el Uruguay, se pueden ver programas locales y _____.

2. En Latinoamérica, las _____ duran de tres a seis meses.

3. Los programas de entretenimiento incluyen música y _____.

4. En estos programas, el público generalmente _____.

5. En el Uruguay, hay hasta seis ediciones de _____ en un día.

6. No todos los _____ de la televisión uruguaya dan el noticiero a la misma hora.

10 ¿Qué te ha pasado?

Completa el siguiente diálogo con el pretérito perfecto de los verbos entre paréntesis.

RAMÓN: No *(1. sentirse)* ___me sentido___ muy bien hoy.

TERESA: ¿*(2. resfriarse)* ___te has resfriado___, Ramón?

RAMÓN: No. Esta mañana *(3. caerse)* ___me he caído___ y creo que

(4. romperse) ___me he roto___ el pie.

TERESA: ¿Estás seguro? Quizás solamente *(5. lastimarse)* ___te___.

RAMÓN: No sé. El pie me *(6. doler)* ___ha dolido___ mucho todo el día.

TERESA: ¿Ya *(7. ver)* ___has visto___ a un médico?

RAMÓN: Mi médico *(8. irse)* ___se ha ido___ de vacaciones.

TERESA: ¿*(9. olvidarse)* ___olvidado___ que hay otros médicos en la ciudad?

RAMÓN: Bueno, bueno. Voy a la clínica ahora.

11 Opiniones sobre la televisión

Completa las siguientes oraciones, usando el participio pasivo de los verbos en *itálica*. Sigue el modelo.

MODELO Mis amigos *prefieren* el canal 10. El canal 10 es su canal <u>preferido</u>.

1. Los concursos me *divierten*. Son muy _____.

2. Todos *conocen* a Salma Hayek. Es una actriz _____.

3. Los anuncios comerciales me *aburren*. Casi todos son _____.

4. Mis amigos *quieren* a don Francisco de Sábado Gigante. Él es muy

    _____.

5. Los niños se *cubrieron* los ojos porque tienen miedo. No ven nada porque tienen los ojos

    _____.

6. Sara se *durmió* viendo el noticiero. Está _____ en el sillón.

7. *Grabaron* la telenovela en un país extranjero. Fue _____ en Brasil.

8. Muchas personas *ven* esta comedia. Es un programa muy _____.

12 Una película tonta

Completa el siguiente párrafo, usando la forma del adjetivo de los verbos entre paréntesis.

Ana y Juan están *(1. morirse)* _____ de la risa. Acaban de ver una

película *(2. llamar)* _____ *Dracugato* que era muy

(3. divertir) _____. El personaje es un gato

(4. morder) _____ por Drácula que se encarga del crimen en las

noches. Al final de la película, Drácula, *(5. fracasar)* _____ y

(6. cansar) _____, se va lejos de la ciudad. Y el gato,

(7. querer) _____ por todos, está

(8. cubrir) _____ de medallas de honor.

13 Lo que he hecho esta semana

¿Qué has hecho esta semana? Escribe un párrafo sobre cinco cosas que has hecho. Luego escribe otro párrafo sobre cinco cosas que todavía no has hecho.

_____

_____

_____

_____

_____

_____

_____

_____

_____

_____

_____

_____

_____

Lección B

1 ¿Qué hay en el periódico?

Identifica los siguientes recortes *(clippings)* del periódico. Escribe la letra apropiada en los espacios en blanco.

A.

1) Soberbia: ¿Se siente el pionero y dueño del estilo "noticiero de trasnoche"?
—Ni el pionero ni el dueño. La historia es antigua y partió en Europa, Canadá y EE.UU. hace muchos años. La implementación de modelos de afuera al estilo e idiosincrasia nacional es meritorio, pero no da para tanto.

2) Envidia: ¿Algo que eche de menos de los "canales grandes"?
—La cantidad de cámaras de prensa disponibles.

B.

Realismo mágico en Sidney

El realismo mágico apareció hoy viernes en el Festival de Sydney con una adaptación de la obra *Crónica de una muerte anunciada*, del colombiano Gabriel García Márquez.

Dirigida por el renombrado director colombiano Jorge Alí Triana, y convertida en una de las atracciones centrales de este festival, la obra escenifica la acción en un teatro transformado en ruedo taurino. **EFE.**

C.

¿Cómo ve el nivel de la televisión actual en relación al año pasado?

Peor

66,2 %

Mejor

33,8%

D.

Lugar/Equipo	Ptos.	PJ	GF	GC
1 Everton	38	15	32	15
2 D.Concepción	30	15	25	23
3 S. Morning	29	16	23	17
3 O'Higgins	29	16	26	20
3 Antofagasta	29	15	22	19
3 Fernández Vial	29	15	22	25
7 Arica	25	15	27	24
7 U. La Calera	25	15	17	22
9 Talcahuano	24	15	16	17
9 La Serena	24	15	23	27
9 P. Osorno	24	16	17	21
12 Copiapó SA	22	15	16	18
13 Melipilla	21	15	18	19
14 Ovalle	20	15	23	27
15 Magallanes SA	19	15	19	19
16 Lota Schwager	18	16	15	28

E.

Creatividad sin límites <
Carrera de
ArteDigital
para Cine, TV e internet
la escuela del cine
Título oficial 2 años
FILM COLLEGE > Comienza en Agosto
escuela superior de cinematografía
4823-1646 / 4826-7474 Av. Pueyrredón 1373
www.escuelasuperior.com.ar

F.

Ana Gabriela, Campeona del Mundo

_____C_____ 1. un titular

_____B_____ 2. un artículo

_____D_____ 3. una tabla

_____A_____ 4. un aviso

_____e_____ 5. una encuesta

_____F_____ 6. una entrevista

2 Sopa de letras

Encuentra y pon un círculo alrededor de ocho secciones de un periódico. Las palabras están organizadas en forma horizontal, vertical y diagonal.

E	I	N	T	E	R	N	A	C	I	O	N	A	L
T	C	I	R	A	D	S	B	O	M	A	C	N	S
A	U	O	P	O	L	I	T	Í	C	A	Ñ	A	E
B	L	E	N	R	D	O	T	Q	U	I	P	C	X
L	T	E	R	Ó	P	E	X	O	C	V	B	I	M
M	U	N	Z	A	M	E	P	U	R	H	J	O	K
L	R	A	E	R	W	I	T	O	Y	I	U	N	O
P	A	H	E	A	D	L	C	I	R	N	A	A	S
C	O	L	U	M	X	V	E	A	W	T	O	L	P
Q	U	E	P	A	S	D	F	G	Y	I	E	K	L
C	L	P	A	S	A	T	I	E	M	P	O	S	A

3 El Paraguay

Pon un círculo alrededor de la palabra o la frase que completa correctamente cada oración.

1. El Paraguay está en el corazón de América (Central / del Sur).

2. La capital del Paraguay es (Asunción / Montevideo).

3. La lengua oficial es el (español / inglés) y la lengua nacional es el (quechua / guaraní).

4. El Paraguay no tiene (departamentos / océano).

5. En el Chaco hay grandes (ciudades / extensiones de tierra virgen).

6. Los dos ríos principales son el Paraguay y el (Paraná / río de la Plata).

7. El clima del Paraguay es (cálido / frío).

4 ¿En qué sección del periódico lo habían leído?

Lee lo que las siguientes personas dijeron sobre varios acontecimientos. Luego escribe una oración diciendo en qué sección del periódico lo habían leído. Sigue el modelo.

MODELO   Marta dijo que los judíos y los evangélicos pidieron una nueva ley de cultos.
<u>Lo había leído en la sección de política.</u>

> **HOY**DOMINGO
>
> **POLITICA**
> ▶ **La comunidad judía y los evangélicos piden una nueva ley de cultos.** El proyecto está congelado desde la caída de De la Rúa. **PAGINA 12**

1. Ricardo dijo que el dólar bajó.
   Lo había _____
   _____

2. Tú dijiste que el periódico *Noticias* opina que el presidente es culto.
   Lo habías _____
   _____

3. Rocío dijo que la exposición de arte moderno empieza hoy.
   Lo había _____
   _____

4. Yo dije que el Guaraní ha ganado el partido de fútbol.
   Lo había _____
   _____

5. Pedro dijo que hubo un temblor en el Japón.
   Lo había _____
   _____

6. Nosotros dijimos que hay un nuevo producto para limpiar las cocinas.
   Lo habíamos _____
   _____

7. Diana dijo que la nueva telenovela es en el canal dos.
   Lo había _____
   _____

8. Uds. dijeron que hubo una protesta muy grande en nuestro país.
   Lo habían _____
   _____

5 Lo que había pasado

Cuando Tomás se enteró de lo que había pasado en el parque de atracciones, le escribió un e-mail a su amiga Eugenia. Completa el e-mail, usando el pretérito pluscuamperfecto de los verbos entre paréntesis.

▭▭▭ ▭ ▭ ▭ □ | □ | ✕

| ▾ | Normal ▾ | MIME ▾ | QP 🗐 🗐 ◂| 🗐 | **Enviar** |

Para: Eugenia
De: Tomás
Asunto: una noticia

Hola Eugenia,

Te escribo con una noticia que yo no *(1. creer)* _había creído_

hasta que la leí en el periódico. El sábado, mis amigos

(2. ir) _habían ido_ al nuevo parque de atracciones. Ésta

(3. ser) _había sido_ la primera vez que Isabel iba,

y casi fue su última. Jorge, Carla y Ricardo

(4. montarse) _se habían montado_ en la montaña rusa y luego

(5. comprar) _había comprado_ algodón de azúcar cuando se

dieron cuenta de que Isabel no estaba con ellos. Nadie la

(6. ver) _había visto_. Luego supieron qué le pasó.

¡Isabel *(7. caerse)* _se había caído_ de la noria! Ella

(8. levantarse) _se había levantado_ de su silla cuando se cayó. Un

señor, que *(9. quitarse)* _se había quitado_ el impermeable, la vio

caerse. Rápidamente, entre él y otro señor, usaron el impermeable para agarrarla

(catch her). Los señores nunca *(10. hacer)* _habían hecho_

esto antes, pero gracias a ellos, ¡Isabel no se lastimó!

Un saludo cariñoso,

Tomás

6 ¿Qué había hecho Germán?

Contesta las preguntas, según los siguientes dibujos.

1. ¿Qué había hecho Germán cuando desayunó?

_____

2. ¿Ya se había vestido cuando desayunó?

_____

3. ¿Ya había hecho la cama cuando sacó el perro?

_____

4. ¿Ya había desayunado cuando sacó el perro?

_____

5. Di todas las cosas que Germán había hecho cuando llegó el autobús.

_____

_____

_____

Nombre: _____ **Fecha:** _____

7 Cobreloa y U. Española

Completa las oraciones con las palabras apropiadas de la caja. Usa la información en el gráfico cuando sea necesario.

árbitro   campeonato   *defensores*   *delanteros*   empatado   **espectadores**   mediocampistas   marcador   *transmisión*   *portero*

1. El _____ es entre Cobreloa y U. Española.

2. Hay 20,000 _____ en el estadio Municipal de Calama.

3. La _____ del partido es a las siete de la noche.

4. El _____ es Luis M. Peña.

5. El _____ de U. Española es Tapia.

6. Los _____ de Cobreloa son Pozo, Fuentes, Gómez y Pérez.

7. Los _____ de Cobreloa son De Gregorio, Díaz y Madrid.

8. Los _____ de U. Española son Jerez, Villaseca, Peña y Miranda.

9. Cobreloa ha _____ tres veces consecutivas.

8 Emisora de radio

Lee el siguiente aviso sobre una emisora de radio. Luego contesta las preguntas con la información correcta.

> **780 AM — RADIO 1° DE MARZO**
>
> Sintonízate a 780 A.M. y escucha música, noticias y deporte. Aficionados del **fútbol:** Arturo Rubín comenta en Fútbol A Lo Grande los lunes a viernes, de 12:30 a 14:00. Los domingos, nuestra emisora se dedica al fútbol de 13:30 a 21:30. Vive todos los goles con la transmisión en vivo de los partidos.
>
> **Desde Asunción–Paraguay, transmite Radio 1° de Marzo, coincidiendo con el gusto de la mayor audiencia por 10 años**

1. ¿Cómo se llama la emisora de radio?

   _____

2. ¿Es la programación del domingo para los aficionados a la música?

   _____

3. ¿Cómo se llama el comentarista de Fútbol A Lo Grande?

   _____

4. ¿Cómo se transmiten los partidos de fútbol?

   _____

5. ¿Cuántos años ha estado transmitiendo esta emisora?

   _____

6. ¿Te gustaría escuchar esta emisora de radio? Explica.

   _____

   _____

9 ¿Por quién fue hecho?

Escribe oraciones pasivas para decir por quiénes fueron hechas las siguientes cosas. Usa las palabras dadas y los dibujos. Sigue el modelo.

MODELO el partido / narrar
<u>El partido fue narrado por Pablo Pozo.</u>

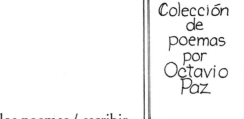

1. la carta / enviar

4. los poemas / escribir

_____

_____

2. el cuadro / pintado

5. el gol / marcar

_____

_____

3. el pastel / hacer

6. las pelotas / firmar

_____

_____

10 El partido de fútbol

¿Qué pasó en el partido de fútbol? Escribe otra vez las siguientes oraciones en la voz pasiva. Sigue el modelo.

MODELO   Radio 100 transmitió el partido en vivo.
       <u>El partido fue transmitido en vivo por Radio 100.</u>

1. Un comentarista conocido narró el partido.

    _____

    _____

2. El comentarista presentó a los jugadores.

    _____

    _____

3. Miles de espectadores vieron el partido.

    _____

    _____

4. Ramírez marcó el primer gol.

    _____

    _____

5. El árbitro cantó una pena máxima.

    _____

    _____

6. Nuestro equipo ganó el campeonato.

    _____

    _____

7. Los aficionados compraron muchas camisetas.

    _____

    _____

8. Los periodistas hicieron muchas preguntas.

    _____

    _____

11 La vez que jugué en un campeonato

Imagina que jugaste al fútbol en un campeonato. Escribe uno o dos párrafos sobre el partido. Di dónde jugaron, cuántos espectadores había, quién era el árbitro, en qué posición jugaste, quién marcó goles y quién ganó. Usa el tiempo pluscuamperfecto y la voz pasiva cuando sea necesario.

_____

_____

_____

_____

_____

_____

_____

_____

_____

_____

_____

_____

_____

_____

_____

Capítulo 8

Lección A

1 ¿Quién es Felipe de Asturias?

Completa el siguiente párrafo con las palabras apropiadas de la caja.

A lo mejor	emocionado	*gastos*	Nació	Príncipe
rey		**suerte**		*reina*

Felipe, (1)_____*rey*_____ de Asturias, será el

próximo rey de España. Él es hijo del

(2)_____*gastos*_____ Juan Carlos I y la

(3)_____*reina*_____ Sofía.

(4)_____*Príncipe*_____ en Madrid el 30 de enero de 1968.

Es una persona muy culta, que ha estudiado y viajado

mucho. La gente de España cubre todos sus

(5)_____*suerte*_____. (6)_____*Nació*_____ mi familia y yo

viajaremos a Madrid este verano. Con (7)_____*emocionado*_____, conoceremos a Felipe

de Asturias. ¡Estoy muy (8)_____*a lo mejor*_____!

2 En España

Empareja los lugares de España con las actividades que se pueden hacer allí. Escribe la letra apropiada en el espacio en blanco.

__C__ 1. Madrid   A. ir a una gran feria en abril

__A__ 2. Costa Brava   B. ver toros correr por las calles en julio

__B__ 3. Pamplona   C. hacer windsurf

__E__ 4. Valencia   D. caminar por El Rastro

__D__ 5. Sevilla   E. ver las fallas quemarse en marzo

3 El tiempo futuro

Lee el siguiente artículo, sin preocuparte de entender todas las palabras. Luego, pon un círculo alrededor de los verbos que estén en el futuro.

Destino extremo

UNIÓN. Conseguir la meta muchas veces obedece a los lazos de solidaridad entre los participantes.

HÁROLD LEANDRO C.
hleandro@nacion.com

Durante un mes, Costa Rica será el escenario de una de tres eliminatorias de deporte extremo que tendrá su final en el monte Everest.

Así lo informó ayer Juan Carlos Crespo, coordinador de la competencia en suelo tico.

En la prueba, que arrancará el 28 de enero, participarán tres equipos de especialistas estadounidenses.

Tendrán que soportar duras faenas como ejercicios con cuerdas (rapel), caminatas en la montaña, kayak en río y en el mar, así como *surf* y ciclismo en campo abierto.

Según Crespo, la competencia se iniciará en el lago Cotter en las faldas del volcán Tenorio, pasará por Curú en el golfo de Nicoya, playa Agujas y luego cruzará de Manuel Antonio hasta el río Pacuare.

La fase inicial de esta competencia arrancó en octubre anterior, con la participación de 400 interesados, que en noviembre (en Utah y Colorado, EE. UU.) se redujo a 50, luego a 24 hasta quedar en 12.

Estos últimos finalistas comenzaron la prueba en el desierto de Kalahari (África), que aún no ha concluido. En esa fase quedará eliminado un competidor y en Costa Rica serán descalificados otros dos.

La última etapa será en Islandia, luego de la cual se sabrá el nombre de los cinco clasificados para escalar el Everest, el monte más alto del mundo que se encuentra a 8.850 metros sobre el nivel del mar.

La prueba en Costa Rica será grabada por el canal canadiense de televisión Outdoor Living Network (OLN) y será transmitida por cable a Estados Unidos y Canadá.

Mayor información puede conseguirla en http://media.yahoo.com/globalextremes/costarica.html

4 Vacaciones en España

Completa las siguientes oraciones con el futuro de los verbos entre paréntesis.

1. En julio yo _____veré_____ a España con mi familia. (ir)

2. Nosotros _____volaremos_____ en avión a Madrid. (volar)

3. Allí yo _____visitaré_____ los museos y el Palacio Nacional. (visitar)

4. Mis padres _____verán_____ una corrida de toros. (ver)

5. Mi hermana y yo _____pasearemos_____ por el parque El Retiro. (pasear)

6. Mi hermana también _____buscará_____ ropa barata en El Rastro. (buscar)

7. ¡El viaje _____será_____ muy divertido! (ser)

5 ¿Qué harán?

¿Qué harán estas personas en España? Escribe ocho oraciones en el futuro, combinando elementos de cada columna.

A	B	C
Natalia	ir	fotos de La Alhambra
Carlos y tú	saborear	por las calles de Pamplona
yo	visitar	en el mar Mediterráneo
Lorenzo	ver	muchos e-mails
mis primos	correr	el Museo de Picasso
tú	escribir	paella de mariscos
Alicia y yo	sacar	a la feria de Sevilla
Olga y Cristina	gozar	una corrida de toros

1. _____

   _____

2. _____

   _____

3. _____

   _____

4. _____

   _____

5. _____

   _____

6. _____

   _____

7. _____

   _____

8. _____

   _____

6 ¿Qué harás por la mañana?

Imagina que mañana saldrás de viaje. ¿Qué harás antes de irte y en qué orden? Escribe un párrafo corto, usando el tiempo futuro y los siete verbos que corresponden a los objetos del dibujo.

MODELO   Me despertaré a las seis de la mañana. Después….

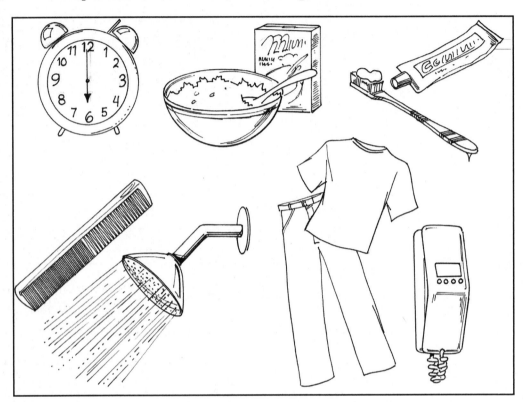

_____

_____

_____

_____

_____

_____

_____

_____

_____

7 Guía de ocio

Mira la siguiente página Web. Luego, di lo que probablemente harán las siguientes personas, según la guía. Sigue el modelo.

> **MODELO** Marcos y Verónica están en las calles de Alcorcón.
> <u>Verán teatro.</u>

1. Rocío y Pilar están en el Teatro Albéniz.

   _____

   _____

   _____

2. Yo estoy en el Museo de América.

   _____

   _____

   _____

guiadel⊙cio.com

FESTIVAL Teatro de Calle en Alcorcón
Las calles de Alcorcón se llenan estos días de teatro. Hasta el día 10, la duodécima edición del Festival Internacional de Teatro de Calle aglutina una treintena de espectáculos de distinta índole. El de Alcorcón es, en su género, el más veterano de la región.

CINE 'La liga de los hombres extraordinarios'
Allan Quatermain, el Dr. Jeckyll, Dorian Grey, el capitán Nemo, Mina Harker (la novia de Drácula), Tom Sawyer y el hombre invisible abandonan las páginas de los libros para formar una liga de héroes que deberá frenar la amenaza de un tirano de dominar el mundo

DANZA Rafael Amargo repone 'Poeta en Nueva York'
El bailarín Rafael Amargo repone desde el viernes 5 su espectáculo 'Poeta en Nueva York'. Tras el estreno días atrás de 'El Amor Brujo', Amargo deleita a sus seguidores con este montaje que ha traspasado con éxito nuestras fronteras. En el Teatro Albéniz.

MÚSICA 'Retratos en Azul', blues en Pradillo con Red House
La sala Pradillo inicia el viernes 5 el ciclo 'Retratos en Azul', dedicado a la música blues. Red House será el grupo encargado de realizar este recorrido musical por el género, desde sus raíces hasta la actualidad. 5, 6, 7 y 12, 13 y 14 de septiembre.

ARTE Retrospectiva de Diego Rivera en el Museo de América
El Museo de América dedica una muestra retrospectiva a Diego Rivera, máximo exponente del muralismo mexicano. La exposición nos presenta una treintena de cuadros de pequeño formato con los que se descubre una faceta desconocida del artista. Desde el 4.

3. Orlando está viendo "La liga de los hombres extraordinarios".

   _____

4. Los señores Botero están en la sala Pradillo.

   _____

5. A Juanita le gusta la danza.

   _____

8 En la agencia de viajes

¿Quién dice qué? Lee cada mini diálogo y escribe la letra del dibujo que mejor corresponde.

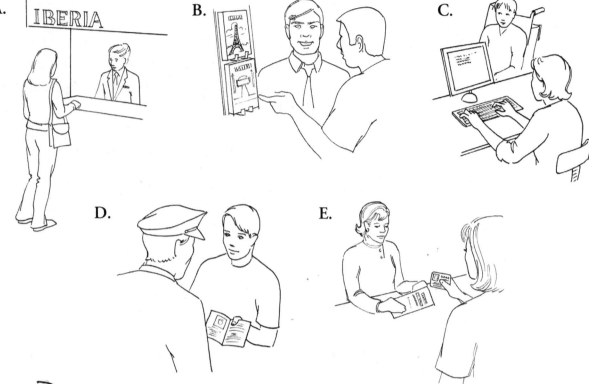

A. IBERIA

B.

C.

D.

E.

___D___ 1. —¿Quiere cargar el total del billete a su tarjeta o paga con cheque?

—Cárguelo a mi tarjeta, por favor.

___B___ 2. —¿En qué le puedo ayudar?

—Busco una guía de España.

___A___ 3. —¿Tiene una visa para entrar al país?

—Sí, aquí está.

___C___ 4. —Quiero saber las tarifas a Barcelona.

—Cómo no. ¿Busca un billete de ida y vuelta?

___E___ 5. —Lo siento. El vuelo 75 está completo.

—¡No puede ser! Mi familia espera mi llegada.

9 La corrida de toros

Indica si las siguientes oraciones son ciertas (C) o falsas (F), según lo que leíste en tu libro.

___C___ 1. La corrida de toros es una tradición muy antigua en España.

___F___ 2. Cuando el matador hace una buena faena, el presidente de la plaza le da dinero.

___C___ 3. Las orejas del toro son como un trofeo para el matador.

___C___ 4. El alguacil es la persona que corta los trofeos para el matador.

___F___ 5. Si el matador hace una buena faena, los espectadores sacan pañuelos rojos.

___C___ 6. Muchas veces, los matadores tiran a los espectadores las orejas del toro,
como regalo.

10 La plaza de toros

Completa las siguientes oraciones con la forma apropiada del futuro de los verbos entre paréntesis.

1. ¿A qué hora ____vendrás____ tú a la plaza de toros? (venir)

2. Todos nosotros no ____cabremos____ en un solo coche. (caber)

3. Carlota no ____querrá____ ver la corrida. (querer)

4. El toro ____saldrá____ en unos minutos. (salir)

5. Me pregunto lo que ____haré____ el matador. (hacer)

6. Los espectadores ____dirán____ ¡Olé! (decir)

7. Si el matador es fantástico, él ____tendrá____ las dos orejas
del toro. (tener)

8. Nosotros no ____sabremos____ si recibirá trofeos hasta el final. (saber)

9. A lo mejor tú ____podrás____ pedir el autográfo del matador. (poder)

10. Yo ____pondré____ las fotos de la corrida en mi página Web. (poner)

11 Crucigrama

Completa el siguiente crucigrama con las formas irregulares de verbos en el futuro.

Horizontales

1. El vuelo 44 _____ a las diez y media de la mañana.

3. Francisco _____ los regalos en la maleta.

5. El próximo año tu tía y yo _____ nuevamente para visitarte.

8. La abuela _____ que tú la llames tan pronto llegues.

9. ¿Cuándo _____ el agente la hora de llegada?

Verticales

2. Nosotros te _____ el secreto pero no se lo digas a nadie.

4. Para llegar al aeropuerto a tiempo, tú _____ que apurarte.

6. No creo que esta maleta _____ en el baúl porque es muy grande.

7. Yo _____ las reservaciones de avión esta tarde.

12 ¡Hola!

Completa el siguiente e-mail con la forma apropiada del futuro de los verbos entre paréntesis.

Normal ▼ MIME ▼ QP ⊟ ⬅ ◀ ⬜ **Enviar**

Para: Ramiro
De: María José
Asunto: Visita a Barcelona

Hola primo,

¡Qué dicha saber que tú *(1. venir)* __*vendrá*__ a

Barcelona! Cuando abuelita te vea, ella

(2. ponerse) __*se pondrá*__ muy feliz. Nos vamos a divertir

mucho, primo. El día de tu llegada, nosotros

(3. hacer) __*haré*__ una cena especial en tu honor.

Al día siguiente, tú *(4. poder)* __*podré*__ conocer la

ciudad. Yo te *(5. mostrar)* __*mostrar*__ la Sagrada Familia

y Montjüic. Por la noche, tú y yo *(6. salir)* __*saldré*__

a pasear por Las Ramblas. Mis amigos

(7. querer) __*querré*__ conocerte, entonces

(8. reunirse) __*se reunirsé*__ todos en

un café. Todavía no sé si nosotros *(9. tener)* __*tendrá*__

la oportunidad de ir a los Pirineos. Yo lo

(10. saber) __*sabré*__ el viernes y te lo

(11. decir) __*diré*__. Creo que te va a gustar Barcelona

y después de visitarla, tú *(12. querer)* __*querré*__ vivir aquí.

¡Nos vemos pronto!

María José

---

13 Un viaje a España

Imagina que pasarás el verano en España. Escribe un párrafo sobre las cosas que harás para prepararte para el viaje.

MODELO   <u>Mañana, iré a la agencia de viajes…</u>

_____

_____

_____

_____

_____

_____

_____

_____

_____

_____

_____

_____

Lección B

1 Viajando en avión

Imagina que estás en un avión y la auxiliar de vuelo está hablando. Completa lo que dice con las palabras apropiadas, según los dibujos.

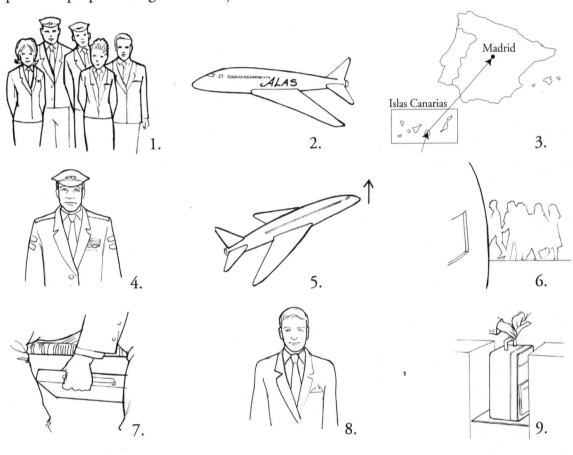

1.   2.   3.

4.   5.   6.

7.   8.   9.

La (1)_____ de (2)_____ Alas le da la

bienvenida al vuelo número 53, con destino a Madrid y con

(3)_____ en las Islas Canarias. El (4)_____

de este vuelo es el capitán José Antonio Blanco. Vamos a (5)_____

tan pronto como todos los pasajeros hayan (6)_____. Le pedimos

(7)_____ su equipaje de mano debajo de los asientos. Si una pieza no

cabe debajo del asiento, favor de decirle a un (8)_____ de vuelo y él

la puede (9)_____. Gracias.

2 Regiones de España

Imagina que encontraste la siguiente página Web sobre algunas ciudades y regiones de España. Completa los espacios en blanco con los nombres correctos de la caja.

> *Andalucía* **Barcelona** *Castilla-La Mancha* Galicia **Madrid** *Valencia*

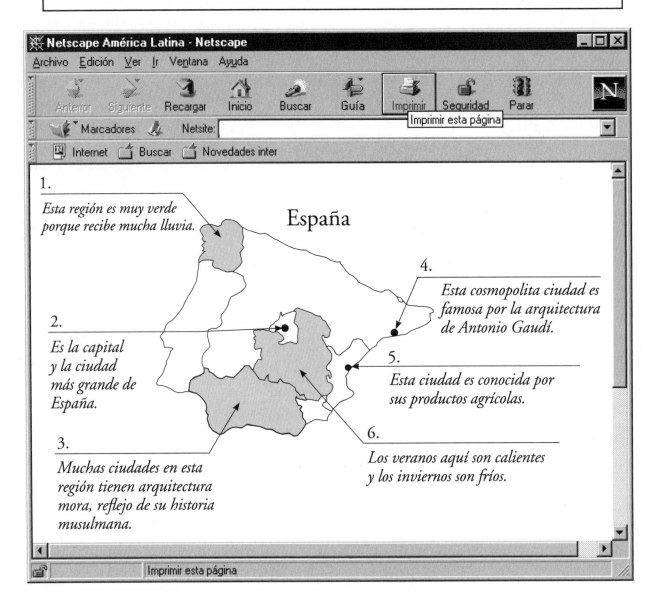

Netscape América Latina - Netscape

Archivo Edición Ver Ir Ventana Ayuda

Anterior Siguiente Recargar Inicio Buscar Guía Imprimir Seguridad Parar

Imprimir esta página

Marcadores Netsite:

Internet Buscar Novedades inter

España

1. _____
Esta región es muy verde porque recibe mucha lluvia.

2. _____
Es la capital y la ciudad más grande de España.

3. _____
Muchas ciudades en esta región tienen arquitectura mora, reflejo de su historia musulmana.

4. _____
Esta cosmopolita ciudad es famosa por la arquitectura de Antonio Gaudí.

5. _____
Esta ciudad es conocida por sus productos agrícolas.

6. _____
Los veranos aquí son calientes y los inviernos son fríos.

Imprimir esta página

3 ¿A qué hora es?

Mira el horario del canal español TVE1 y contesta las preguntas, según el modelo.

MODELO ¿A qué hora es Corazón de verano?
Es a las dos y media de la tarde.

Práctica PROGRAMACIÓN DE TELEVISIÓN

TVE 1 [1]

Jueves 17

06.00 Canal 24 horas 07.30 TD matinal 10.00 A las once en casa 11.30 Por la mañana (magazine) 13.30 La cocina de Arguiñano 14.00 Informativo territorial 14.30 Corazón de verano (magazine rosa) 15.00 Telediario-1 16.00 Gata salvaje (telenovela) 17.30 Cerca de ti (talk show) 19.00 El rival más débil (concurso) 20.00 Gente

21.00 **Telediario-2**
21.55 **El tiempo** (meteorológico)
22.00 **Paraíso**
 (serie, nuevos capítulos)
23.30 **El día que vivimos peligrosamente**
01.30 **Telediario-3**
02.00 **La Tierra, conflicto final** (serie)
03.00 **Canal 24 horas** (informativo)

1. ¿A qué hora es Telediario-2?

_____

2. ¿A qué hora es la telenovela Gata salvaje?

_____

3. ¿A qué hora es el concurso El rival más débil?

_____

4. ¿A qué hora es la serie Paraíso?

_____

5. ¿A qué hora es La cocina de Arguiñano?

_____

6. ¿A qué hora es Informativo territorial?

_____

7. ¿A qué hora dan el tiempo metereológico?

_____

8. ¿A qué hora es Gente?

_____

4 Si ganaran la lotería...

¿Qué les gustaría hacer a las siguientes personas si ganaran la lotería? Completa las oraciones con la forma apropiada del condicional de los verbos entre paréntesis.

MODELO   Los señores Sánchez <u>comprarían una casa nueva</u>. (comprar)

1. La familia Barrientos _____ un restaurante donde

   _____ paella valenciana. (abrir, servir)

2. Pilar _____ a España y

   _____ en la Universidad de Salamanca. (ir, estudiar)

3. Yo les _____ dinero a los niños pobres y les

   _____ a leer. (dar, enseñar)

4. Los señores Astorga _____ un barco y

   _____ por todo el mundo. (comprar, navegar)

5. Tú _____ un avión y

   _____ los países europeos. (abordar, conocer)

6. Rubén y Pablo no _____ y lo

   _____ muy bien. (trabajar, pasar)

7. Nosotros _____ mucho y

   _____ felices. (viajar, ser)

8. Mi tío _____ en Galicia y

   _____ todos los días. (vivir, pescar)

9. Uds. _____ en casa y

   _____ a los videojuegos todo el día. (quedarse, jugar)

10. Flor _____ una gran fiesta e

    _____ al Príncipe de Asturias. (hacer, invitar)

5 En el parador

Imagina que tus amigos estuvieron en un parador en España y te cuentan lo que hicieron allí. Completa las siguientes oraciones con las palabras apropiadas de la caja.

apellidos	botones	en seguida	firmar	habitación
nos alojamos	placer	recepcionista		ruido

1. Nosotros _____ en un parador nacional.

2. Primero, hablamos con un _____ para registrarnos.

3. Él nos pidió nuestros _____ para encontrar nuestras reservaciones.

4. Después, nosotros tuvimos que _____ nuestros nombres en el registro.

5. Un _____ nos llevó el equipaje.

6. Nuestra _____ doble era de lujo.

7. La primera noche no dormimos bien porque oíamos el _____ de la carretera.

8. Llamamos a recepción y _____ nos dieron otra habitación.

9. Cuando nos fuimos, el recepcionista dijo que era un _____ tenernos en el parador.

6 Alojamiento en España

Encuentra y pon un círculo alrededor de cuatro tipos de alojamiento en España. Las palabras están organizadas de forma horizontal, vertical y diagonal.

P	E	N	W	I	N	O	A
A	A	H	O	S	T	A	L
L	F	R	E	C	E	P	B
A	H	P	A	R	A	U	E
V	O	L	H	D	S	T	R
E	T	O	S	A	O	L	G
R	E	D	O	R	L	R	U
G	L	C	A	R	P	I	E

7 Me pregunto...

Tú te preguntas cómo les fue a tus amigos en su viaje a España. Expresa las siguientes ideas con preguntas, usando el condicional de probabilidad. Sigue el modelo.

MODELO   Me pregunto si se alojaron en un parador.
   ¿Se alojarían en un parador?

1. Me pregunto a qué hora salió el vuelo.

   _____

2. Me pregunto qué dijiste tú cuando se fueron.

   _____

3. Me pregunto si ellos sabían cómo llegar a Córdoba.

   _____

4. Me pregunto si todos cupieron en una habitación.

   _____

5. Me pregunto qué hicieron en Madrid.

   _____

6. Me pregunto si Lucas pudo hablar con el rey.

   _____

7. Me pregunto si ellos tuvieron que tomar el metro.

   _____

8. Me pregunto si Patricia quiso ver una corrida de toros.

   _____

9. Me pregunto si Ana puso mi dirección correcta.

   _____

10. Me pregunto qué día vinieron.

   _____

8 ¿Qué harías?

¿Qué harías tú en las siguientes situaciones? Contesta las preguntas usando el condicional.

1. Eres el rey o la reina de España. ¿Qué harías?

_____

_____

2. Vives en Barcelona. ¿Qué podrías hacer?

_____

_____

3. Tienes diez mil euros. ¿Qué querrías comprar?

_____

_____

4. Tienes la oportunidad de salir con alguien famoso. ¿Con quién saldrías?

_____

_____

5. Eres presidente de un canal de televisión. ¿Qué programa pondrías a las 20:00?

_____

_____

6. Vas a hacer una fiesta. ¿Quiénes vendrían?

_____

_____

7. Quieres ir a la universidad en España. ¿Qué tendrías que hacer?

_____

_____

8. El presidente de los Estados Unidos te llama por teléfono. ¿Qué le dirías?

_____

_____

9. Hay un temblor. ¿Sabrías qué hacer?

_____

_____

9 Unas vacaciones en España

¿Qué harías si viajaras a España? Escribe un párrafo sobre los lugares que conocerías, dónde te alojarías, con quién irías y qué harías en diferentes ciudades.

_____

_____

_____

_____

_____

_____

_____

_____

_____

_____

_____

_____

_____

Capítulo 9

Lección A

1 Crucigrama

Completa el siguiente crucigrama con nombres de empleos.

Horizontales

1. Una _____ cuida a los animales enfermos.

6. Un _____ dirige a los empleados de una oficina.

8. Una _____ trabaja en una biblioteca.

9. Una _____ corta el pelo.

10. Un _____ enseña a los estudiantes.

Verticales

2. Una _____ civil puede diseñar puentes.

3. Un _____ contesta el teléfono y escribe cartas.

4. Un _____ arregla los coches.

5. Un _____ pinta y dibuja.

7. Un _____ prepara comida en un restaurante.

2 ¿Qué es?

Mira el dibujo y escribe una oración diciendo qué empleo tiene la persona. Sigue el modelo.

MODELO <u>Es fotógrafo.</u>

1. _____ Es bombera _____

2. _____ Es carpintero _____

3. _____ Es abogada _____

4. _____ Es obrera _____

5. _____ Es vendedora _____

6. _____ Es agricultor _____

3 Empleos

Mira los avisos de periódico. Luego lee las siguientes descripciones. En el espacio en blanco, escribe la letra del aviso que corresponde a la descripción.

A.

SECRETARIA
• Experiencia y referencias
• Uso de Word, Excel, E-Mail
Enviar curriculum con fotografía y pretensiones de sueldo a:
Infomktg@entelchile.net
o a **VENSE 1948,**
Casilla 13-D, Stgo.

B.

PERSONAL PARA CARNICERIA
Requisitos: -Responsable
-Disponibilidad de horario
-Buena presentación
-Secundaria
-Deseos de superación
-Mayores de 18 años
INTERESADOS PRESENTARSE EN LA
SUCURSAL MAS CERCANA A SU DOMICILIO

C.

ESTUDIO JURIDICO
Seleccionará:
ABOGADOS
Requisitos
• Ambos Sexos
• Edad 28 a 40 años
• Título de Abogado
• Buena Presencia
• Disponibilidad Horaria
• Muy Buena Dicción y vocabulario
• Muy Buen Conocimiento en Derecho Civil y Comercial
• Dominio idioma inglés
• Excelente Dominio de herramientas informáticas y disponibilidad inmediata.
• Referencias Laborales
• Predisposición para trabajar por objetivos y en Equipo.
Enviar CV con Nota manuscrita, Rem. Pretendida, Fotografía actual a Casilla de Correo N°4964, Correo Central, Cód. Postal C1000WBX

D.

IMPORT. EMPRESA
Incorpora:
TEC. MECANICO P/PRODUCCION
• Exper. mínima comp. 1 año.
• Buen manejo de PC.
• Edad hasta 30 años.
• Amplia disponibilidad horaria.
Enviar CV indicando pretens. s/omitir **Ref TEC** en el sobre:
Casilla de Correo 7
Suc. 04 - Almagro

E.

Colegio Sector Oriente con proyecto Educativo Humanista y Activo
Requiere:
Profesores de Nivel Preescolar
Profesores de Enseñanza Básica
Profesores de Enseñanza Media (Todas las asignaturas)
Interesados enviar Currículo adjuntando fotocopia certificado de Título a:
PROFESORES 1960, CASILLA 13-D, STGO.

F.

Importante Empresa Constructora necesita
Gerente de Administración y Finanzas
Requisitos:
Ingeniero Comercial o Ingeniero Civil Industrial
Experiencia mínima de 3 años trabajando en el área administrativa y financiera
Amplios conocimientos y manejo de softwares administrativos y contables
Edad hasta 35 años
Enviar curriculum vitae y pretensiones de renta a:
CONSTRUCTOR 1999, Casilla 13-D, Stgo.

_____ 1. Buscamos personas que hayan estudiado inglés.

_____ 2. Se necesitan profesores que hayan recibido su título.

_____ 3. Se busca alguien que no haya cumplido 31 años.

_____ 4. Necesito una señorita que haya usado e-mail.

_____ 5. Se busca una persona que haya estudiado ingeniería comercial o civil.

_____ 6. Buscamos empleados que hayan terminado la escuela secundaria.

4 Es posible que...

Completa las siguientes preguntas, usando las expresiones entre paréntesis y el subjuntivo. Sigue el modelo.

MODELO ¿Ya ha decidido Rafael qué carrera estudiar? (es posible que)
Es posible que Rafael ya haya decidido qué carrera estudiar.

1. ¿Ya han sido aceptados tus amigos a la universidad? (es posible)

   _____

   _____

2. ¿Ya ha buscado empleo Rosario? (dudo)

   _____

   _____

3. ¿Ya ha empezado Sergio a estudiar en la universidad? (no creo)

   _____

   _____

4. ¿Ya han comprado David y Bianca los libros? (es posible)

   _____

   _____

5. ¿Ya han pensado ellos en el futuro? (espero)

   _____

   _____

6. ¿Ya ha enviado Nuria la carta a la universidad? (no creo)

   _____

   _____

7. ¿Ya ha trabajado Beatriz en una oficina? (dudo)

   _____

   _____

8. ¿Ya han hablado Pedro y Orlando con el gerente? (es posible)

   _____

   _____

5 Es importante

¿Qué opinas? Combina elementos de cada columna para escribir seis oraciones completas con el pretérito perfecto del subjuntivo. Sigue el modelo.

MODELO Es importante que Claudio haya decidido ir a la universidad.

A	B	C	D
es importante	yo	nacer	en el futuro
espero	tú	decidir	a conducir bien
dudo	Claudio	aprender	sobre la internet
me alegra	mis amigos y yo	pensar	ir a la universidad
no creo	la programadora	tomar	para ser artista
es posible	los taxistas	trabajar	clases de arte
no pienso	nosotros	estudiar	en España

1. _____

_____

2. _____

_____

3. _____

_____

4. _____

_____

5. _____

_____

6. _____

_____

6 Mi sueño es trabajar

Ana María vio el siguiente aviso y escribió una carta al señor Bolaños. Completa la carta con las palabras apropiadas de la caja.

IMPORTANTE EMPRESA COMERCIAL
Requiere los servicios de
GERENTE
(medio tiempo)

Requisitos:
Estudios de mercadeo y ventas a nivel universitario, experiencia en el manejo de personal, buena presentación y recomendaciones.

Los interesados enviar currículum y recomendaciones al apartado postal 5142, dirigido a Héctor Bolaños.

aceptada   Asisto   aspiración   buceo   empresa   carrera   experiencia   Extraño   Ojalá   practico   suave

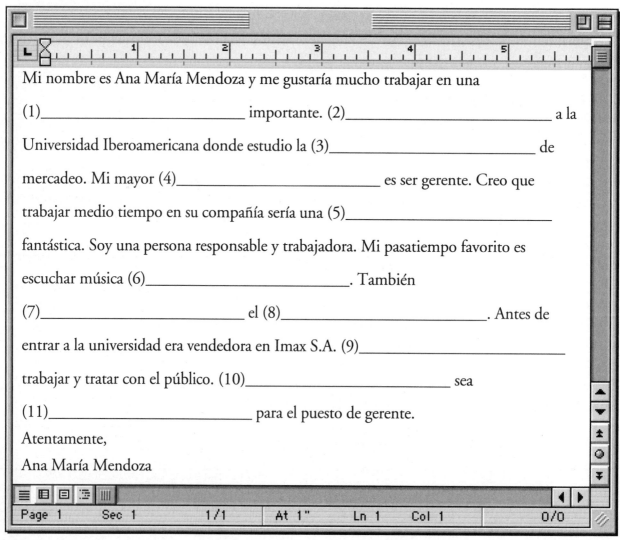

Mi nombre es Ana María Mendoza y me gustaría mucho trabajar en una

(1)_____ importante. (2)_____ a la

Universidad Iberoamericana donde estudio la (3)_____ de

mercadeo. Mi mayor (4)_____ es ser gerente. Creo que

trabajar medio tiempo en su compañía sería una (5)_____

fantástica. Soy una persona responsable y trabajadora. Mi pasatiempo favorito es

escuchar música (6)_____. También

(7)_____ el (8)_____. Antes de

entrar a la universidad era vendedora en Imax S.A. (9)_____

trabajar y tratar con el público. (10)_____ sea

(11)_____ para el puesto de gerente.

Atentamente,

Ana María Mendoza

7 Las universidades latinoamericanas

Indica si las siguientes oraciones son ciertas (C) o falsas (F), según lo que leíste en tu libro.

_____ 1. Siempre hay un gran estadio en el campus de una universidad latinoamericana.

_____ 2. La mayoría de los estudiantes de las universidades latinoamericanas viven en los dormitorios de la universidad.

_____ 3. La mayoría de las universidades latinoamericanas no tienen un programa atlético.

_____ 4. El objetivo principal de las universidades en Latinoamérica es ofrecer a los estudiantes una carrera profesional.

_____ 5. En las universidades latinoamericanas, la especialización en una carrera empieza temprano.

_____ 6. En las clases de muchas universidades latinoamericanas, los estudiantes participan activamente y no toman muchas notas.

8 ¿Qué dice la gerente?

Ana María es gerente en una empresa y les habla a los empleados. Completa lo que dice con las palabras de la caja.

ojalá quizás quienquiera como lo que cualquiera dondequiera

1. Pueden llegar a las ocho o a las nueve, _____ prefieran.

2. _____ que trabaje los sábados, ganará más dinero.

3. Pueden ponerse esta gorra o esta chaqueta de la compañía,

   _____ que quieran.

4. Escriban en este cuaderno todo _____ hayan vendido.

5. No sé todavía pero _____ viaje la próxima semana.

6. _____ que yo esté, los llamaré todos los días.

7. _____ que aprendan muchas cosas en este empleo.

9 Sueños

¿Qué sueños y aspiraciones tienen las siguientes personas? Completa las oraciones con la forma correcta del subjuntivo de los verbos entre paréntesis.

1. MANOLO: Ojalá que _____ trabajar en una empresa grande. (poder)
2. TÚ: Quisiera que nosotros _____ a la universidad juntos. (asistir)
3. SILVIA: Dondequiera que _____ espero tener amistades reales. (estudiar)
4. YOLI: Voy a estudiar lo que _____ mis padres, pero luego pienso ser una escritora famosa porque ése es mi sueño. (decir)
5. FERNANDO: Espero que una buena universidad me _____. (aceptar)
6. ÉDGAR: No sé qué carrera estudiar pero cualquiera que _____, será en España. (escoger)
7. ROSITA: Ojalá que _____ una familia fuerte y unida. (tener)
8. DOLORES: Mi sueño es practicar el buceo, dondequiera que _____. (ser)

10 Decisiones

Completa el siguiente e-mail con las formas correctas del subjuntivo de los verbos entre paréntesis.

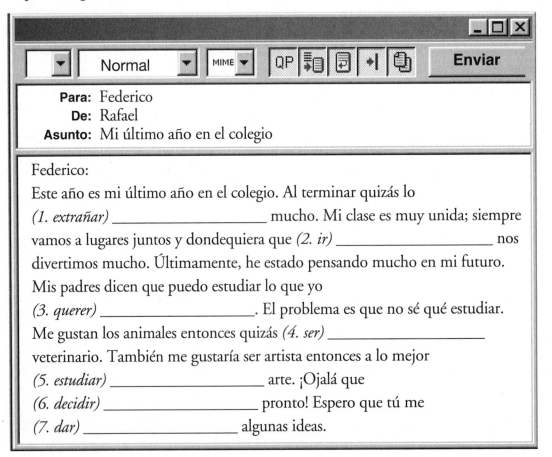

Normal   MIME   QP   Enviar

Para: Federico
De: Rafael
Asunto: Mi último año en el colegio

Federico:

Este año es mi último año en el colegio. Al terminar quizás lo

(1. extrañar) _____ mucho. Mi clase es muy unida; siempre

vamos a lugares juntos y dondequiera que *(2. ir)* _____ nos

divertimos mucho. Últimamente, he estado pensando mucho en mi futuro.

Mis padres dicen que puedo estudiar lo que yo

(3. querer) _____. El problema es que no sé qué estudiar.

Me gustan los animales entonces quizás *(4. ser)* _____

veterinario. También me gustaría ser artista entonces a lo mejor

(5. estudiar) _____ arte. ¡Ojalá que

(6. decidir) _____ pronto! Espero que tú me

(7. dar) _____ algunas ideas.

11 Quizás

Mira los libros que las siguientes personas leen. ¿Qué puedes deducir de ellos? Escribe oraciones completas con la palabra **quizás** y las indicaciones que se dan. Sigue el modelo.

MODELO Mauricio / ser
Quizás Mauricio sea fotógrafo.

1. Sofía / querer ser

_____

_____

2. Antonio / aprender

_____

_____

3. Carlos / practicar

_____

_____

4. Mónica / ser

_____

_____

5. Ernesto / estudiar para

_____

_____

6. Liliana / trabajar como

_____

_____

12 Mis aspiraciones

Imagina que quieres asistir a una universidad latinoamericana. Entre otras cosas, la universidad te pide que escribas uno o dos párrafos sobre tus aspiraciones. Usa las siguientes preguntas como guía.

- ¿Quién eres? ¿Qué te gusta hacer?
- ¿Qué carrera quieres estudiar?
- ¿Qué esperas hacer después?
- ¿Cuál es tu mayor aspiración?

_____

_____

_____

_____

_____

_____

_____

_____

_____

_____

_____

_____

_____

_____

Lección B

1 ¡Nos vamos a Europa!

Pon un círculo alrededor de la letra de la frase que completa correctamente cada oración.

1. ¡_____ estaremos en Europa la próxima semana!

    A. A propósito

    B. Por fin

    C. Sin embargo

2. Mi sueño es caminar por _____ del mar Mediterráneo.

    A. la orilla

    B. el río

    C. la facultad

3. El viaje a Europa es el premio porque mantuve una buena _____ en la escuela.

    A. despedida

    B. facultad

    C. actitud

4. A mi papá le gustaría ir; _____ tiene que trabajar.

    A. su sueño

    B. por fin

    C. sin embargo

5. Mis amigos van a organizar una fiesta de _____.

    A. propósito

    B. despedida

    C. orilla

6. Ellos dicen: Samuel siempre _____ con la suya.

    A. se sale

    B. mantiene

    C. vienes

2 Los gestos

Mira los siguientes dibujos. ¿Qué significan los gestos? Escribe la letra del gesto al lado de la oración que corresponde.

A.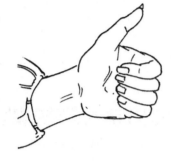

B.

C.

D.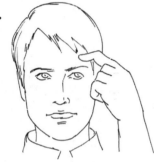

E.

F.

_____ 1. Nos vemos mañana.

_____ 2. Llámame más tarde.

_____ 3. Es perfecto.

_____ 4. Un poquito.

_____ 5. Tengo mucho calor.

_____ 6. Piensa un poco.

---

3   ¿Qué nos aconsejan?

Lee el siguiente artículo con datos prácticos para las personas que viajen a Madrid, España. Luego escribe seis oraciones en el subjuntivo, usando las palabras indicadas y la información del artículo. Sigue el modelo.

MODELO   aconsejar / recorrer Madrid
<u>Aconsejan que recorramos Madrid a pie.</u>

---

20   España   EL MERCURIO REVISTA DEL DOMINGO **EN VIAJE**

DATOS PRÁCTICOS

• La mejor manera de **recorrer Madrid** siguen siendo los pies. Caminarla no sólo es entretenido, sino que es seguro y, pese al otoño ventolero, agradable.

• Si se queda por unas semanas, puede comprar un **"abono mensual de transportes"** (en los estancos) que cuesta 32,30 euros. El boleto le permite subirse las veces que quiera tanto al Metro como a los buses que recorren la ciudad.

• Los **taxis** no son caros. Aunque la "bajada de bandera" es de 1,35 euros, la carrera sube cinco centavos de euro cada cien metros.

• **Comer** en cualquier taberna supone al menos doce euros por persona. Hay menús de almuerzo desde seis hasta treinta, dependiendo el barrio. Mientras "Sol" es lo más barato, en "Salamanca" está lo más caro.

• Los hoteles también han subido tras el paso de la peseta al euro. Por ejemplo, del **Melia Galgos** (Claudio Coello 139, Metro Núñez de Balboa) cobra desde 111 euros por la doble. En este hotel se alojaron Fernando González y Marcelo Ríos durante el Masters Series. En la concurrida zona de La Latina, el

Hotel Reyes Católicos (Ángel 18, Metro Puerta de Toledo) cobra desde 102 euros por una doble.

• Bastante más económica resulta la alternativa de los albergues. El del **Hostelling International** (Santa Cruz de Marcenado 28, Metro San Bernardo) ofrece una habitación compartida –entre dos y seis personas– a 11 euros por huésped. Es imprescindible reservar y tener tarjeta de alberguista. Se puede conseguir en Chile (Hernando de Aguirre 201, oficina 602) o en España (Carrera San Jerónimo 18, Metro Sol).

---

1. decir / comprar un abono mensual de transportes

   _____

   _____

2. no pensar / taxis ser caros

   _____

3. es probable / el almuerzo en una taberna costar

   _____

4. quizás / pagar por una habitación doble

   _____

5. conviene / hospedarse en un albergue

   _____

6. es importante / reservar y tener tarjeta de alberguista

   _____

Nombre: _____ **Fecha:** _____

4 ¿Qué quieren hacer?

Completa las siguientes oraciones, usando el subjuntivo o el infinitivo de los verbos entre paréntesis.

1. Mis tíos esperan _____compre_____ una casa a la orilla del mar. (comprar)

2. Mario quiere _____trabaje_____ en una empresa grande. (trabajar)

3. Quizás Patricia _____asiste_____ a la facultad de medicina. (asistir)

4. Jimena quiere que nosotros _____vaya_____ a Europa con ella. (ir)

5. Es probable que Tomás _____se salir_____ con la suya. (salirse)

6. Yo quiero estudiar una carrera que _____ser_____ divertida. (ser)

7. Tenemos que _____organizar_____ una fiesta de despedida. (organizar)

8. Ojalá que nosotros _____conocer_____ muchos países en el futuro. (conocer)

9. Enrique viajará por la América del Sur antes de que _____empezar_____ la universidad. (empezar)

10. Me alegro que Andrés por fin _____conseguir_____ un buen empleo. (conseguir)

11. Mis amigos y yo queremos _____vivir_____ en una isla tropical. (vivir)

12. No creo que Víctor _____estudiar_____ para ser ingeniero. (estudiar)

13. Mis padres dicen que es importante que yo _____buscar_____ amistades reales. (buscar)

14. Te pido que siempre _____mantener_____ una actitud magnífica. (mantener)

5 Sopa de letras

Encuentra y pon un círculo alrededor de los nombres de diez países del mundo. Las palabras están organizadas en forma horizontal, vertical y diagonal.

E	U	R	O	F	A	S	F	R	C	W	E	T	R
M	G	I	P	T	R	S	A	L	V	H	E	U	C
A	L	P	R	I	T	A	L	I	A	G	I	Z	A
R	B	O	T	R	A	L	N	T	O	B	A	N	N
R	U	R	M	E	X	O	Ñ	C	Y	U	G	O	A
U	X	T	A	E	S	T	A	D	I	C	O	S	D
E	M	U	Y	S	O	R	U	S	I	A	V	J	Á
C	A	G	W	A	I	A	M	E	R	I	C	A	R
O	D	A	E	T	Y	L	C	O	U	N	L	P	L
S	I	L	I	N	D	G	R	E	C	M	S	Ó	N
V	I	N	G	L	A	T	E	R	R	A	N	N	C

6 ¿Qué es?

Completa las siguientes oraciones con el adjetivo correcto. Sigue el modelo.

MODELO   Moulay es del África; él es <u>africano</u>.

1. Corina es de Europa; ella es _____Europeanse_____.

2. Felipe es de la América del Sur; él es _____mexicano_____.

3. Álvaro es de la América Central; él es _____Unidesvsates_____.

4. Olivia es de Australia; ella es _____Australiáues_____.

5. Takashi es del Asia; él es _____Japeness_____.

6. Linda es de la América del Norte; ella es _____China_____.

7 Nacionalidades

Di de qué nacionalidad son las siguientes personas, según el país indicado en el mapa.

MODELO   Johnny es <u>inglés</u>.

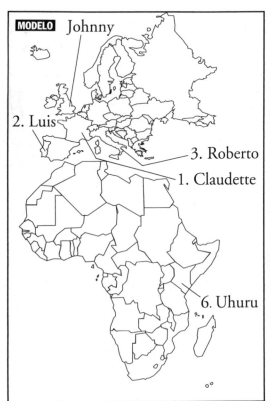

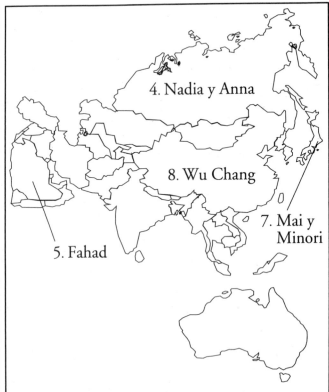

1. Claudette es _____Espana_____.

2. Luis es _____prague_____.

3. Roberto es _____italiano_____.

4. Nadia y Anna son ____Rusa_____.

5. Fahad es _____saudiaraghia_____.

6. Uhuru es _____.

7. Mai y Minori son ____Japon_____.

8. Wu Chang es _____Chino_____.

8 El ecoturismo

Completa el siguiente párrafo con las palabras apropiadas de la caja.

Aconcagua	**Amazonía**	*árboles*	**Doñana**	ecoturismo
industria	medio ambiente	*pájaros*	*puentes*	*responsablemente*

El (1)_____ es viajar por áreas

naturales (2)_____, sin destruir el

(3)_____. En Costa Rica, el

ecoturismo es una (4)_____

importante. Algunas compañías han construido

(5)_____ en los bosques para

observar los (6)_____ y los animales

en su hábitat natural. Hay muchos lugares que los ecoturistas

pueden visitar. En España, las personas a quienes les gustan los

(7)_____ pueden ir al Parque

Nacional (8)_____. En Argentina,

los aventureros pueden escalar el (9)_____.

En Perú, pueden explorar la (10)_____

en bote.

9 Festival de arte con conciencia ecológica

Lee el siguiente artículo de periódico sobre un festival de arte. Luego, contesta las preguntas.

1. ¿Cómo se llama el proyecto de arte?

   _____

   _____

2. ¿Qué aprenden los artistas que participan?

   _____

   _____

3. ¿Qué hicieron los artistas con la basura de la playa?

   _____

   _____

4. ¿Qué esperan que la gente deje de hacer cuando vean la obra?

   _____

   _____

> **Con – ciencia y eco – logía**
>
> *Chunches de mar* no es solamente un nombre artístico. Quienes se apuntan a este proyecto pretenden también despertar sensibilidades, aprender del equilibrio biológico, y dar testimonio de los abusos que padece la naturaleza. "Nuestro lema: dormir sobre el planeta. Poner los pies en la tierra, literalmente", señaló Aguilar.
>
> Así, cada año las obras de estos artistas se contagian del deterioro ecológico que azota al país. Y el 31, día cuando levanten el campamento, irán a la ciudad con un gran dragón hecho con la basura que encontraron en la playa.
>
> "Hemos visto gente que corta una palmera para bajar un coco. Hemos recogido tanta basura de la orilla que la cola del dragón mide ya cerca de 200 metros. Cuando lo llevemos al pueblo, las personas que botan esa basura al mar no van a poder hacer de cuenta que no pasa nada", concluyó Aguilar.

10 Una promesa

¿Qué prometen *(promise)* los ecoturistas? Completa el siguiente párrafo con las formas apropiadas del futuro de los verbos entre paréntesis.

Prometo que *(1. hacer)* _____ lo que pueda para proteger el medio

ambiente. *(2. Trabajar)* _____ para que la Tierra sea un hogar seguro

para las futuras generaciones. Prometo que *(3. reciclar)* _____ para

que no haya demasiada basura. Prometo que *(4. apagar)* _____ los

aparatos eléctricos tan pronto como yo salga de la casa. Prometo que no

(5. botar) _____ basura dondequiera que yo esté. Y prometo

que no *(6. usar)* _____ productos que dañen la capa de ozono.

11 ¿Cuál es tu sueño?

Soñar no cuesta nada. Di qué les gustaría a las siguientes personas. Completa cada oración con la forma correcta del condicional de los verbos entre paréntesis.

MODELO Graciela *(ir)* <u>iría</u> a Francia.

1. Mónica *(abrir)* _____ un restaurante y

   (cocinar) _____ muchos platos ricos.

2. Yo *(ir)* _____ a Colombia por un año y

   (aprender) _____ bien el español.

3. Uds. *(estudiar)* _____ para ser pilotos y

   (volar) _____ por todo el mundo.

4. Stephanie *(ser)* _____ astronauta y

   (visitar) _____ muchos planetas.

5. Mis padres *(preferir)* _____ vivir en una finca y no

   (trabajar) _____ tanto.

6. Todos nosotros nos lo *(pasar)* _____ muy bien y

   (ser) _____ muy felices.

7. Daniel *(jugar)* _____ al fútbol y

   (participar) _____ en la Copa Mundial.

8. Nolberto *(comprar)* _____ un barco y

   (navegar) _____ por todo el mundo.

9. Sebastián y Carmenza *(vivir)* _____ en Barcelona y

   (pasear) _____ por el Paseo de las Ramblas.

10. Jairo *(ser)* _____ profesor y

    (enseñar) _____ en una universidad.

12 Ecoturismo local

Imagina que trabajas en una agencia de viajes cerca de donde vives. El gerente quiere que escribas un folleto en español para turistas de la América del Sur que quieren hacer ecoturismo en tu estado. En el folleto, escribe dos o tres actividades que los ecoturistas pueden hacer. También aconséjales lo que deben y no deben hacer. Usa el subjuntivo cuando sea necesario.

Capítulo 10

Lección A

1 Ciudades Hermanas

Indica si las siguientes oraciones son ciertas (C) o falsas (F), según lo que leíste en tu libro.

_____ 1. Minneapolis, Minnesota y Santiago de Chile son Ciudades Hermanas.

_____ 2. Las Ciudades Hermanas forman parte de un programa creado por el presidente John F. Kennedy.

_____ 3. El objetivo de Ciudades Hermanas Internacional es adoptar niños sudamericanos.

_____ 4. Muchas Ciudades Hermanas tienen intercambios educativos, culturales y económicos.

_____ 5. Las Ciudades Hermanas de Atlanta, Georgia y Salcedo, República Dominicana tienen en común grandes líderes.

_____ 6. Martin Luther King, Jr. y las hermanas Mirabal nacieron en Atlanta.

_____ 7. Las Ciudades Hermanas es una forma de promover la comprensión cultural.

2 ¿Cuál es su Ciudad Hermana?

Pon las letras revueltas *(scrambled)* en orden para formar los nombres de las Ciudades Hermanas de las siguientes ciudades en los Estados Unidos. Todas las respuestas son capitales. Sigue el modelo.

MODELO   Saint Paul y <u>Quito</u> i Q t u o

1. Nueva York y _____ d M d i a r

2. Hollywood y _____ G m l a a e t a u

3. Austin y _____ a i m L

4. San Francisco y _____ s C c a a r a

5. New Orleans y _____ g g T u l p a a e c i

6. Miami y _____ u n M a a g a

3 Amigos en el ciberespacio

Imagina que buscas amigos y amigas por internet que hablan español. Completa el siguiente formulario para entrar a un cuarto de charla.

```
╔══════════════════════════════════════════════════════════════╗
║ ※ Netscape América Latina - Netscape              _ □ ✕        ║
║ Archivo  Edición  Ver  Ir  Ventana  Ayuda                      ║
║ Anterior  Siguiente  Recargar  Inicio  Buscar  Guía  Imprimir  ║
║                                              Seguridad  Parar  N║
║                                     Imprimir esta página        ║
║ 🐾 Marcadores   Netsite: [                              ] ▼    ║
║ 📄 Internet  📁 Buscar  📁 Novedades inter                      ║
╠════════════════════════════════════════════════════════════════╣
```

FORMULARIO DE PRESENTACIÓN

Prefiero contactar   Chicos ☐   Chicas ☐

DATOS GENERALES

> ¿Cómo te llamas?   [_____]

> ¿Cuándo naciste?   [_____]

> ¿Dónde vives?   [_____]

DATOS PERSONALES

> ¿Cómo eres?   [_____]

> ¿Qué te fascina?   [_____]

> En tu tiempo libre: [_____]
                       [   ]

> Color de ojos: [_____]

> Color de pelo: [_____]

OTROS DATOS

> E-mail: [_____]

> Login de acceso: [_____]

> Clave de acceso: [_____]

Imprimir esta página

4 E-mail

Imagina que alguien que conociste en el cuarto de charla te envió el siguiente e-mail. Léelo y luego usa las líneas indicadas para contestar.

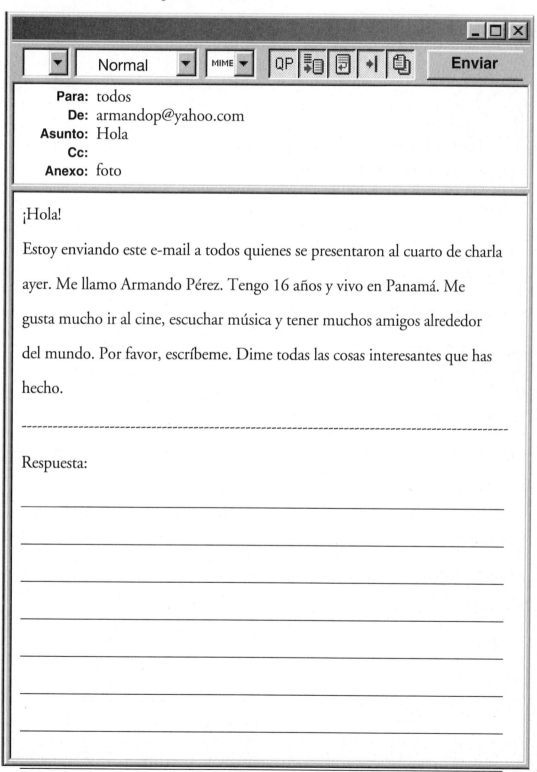

Para: todos
De: armandop@yahoo.com
Asunto: Hola
Cc:
Anexo: foto

¡Hola!

Estoy enviando este e-mail a todos quienes se presentaron al cuarto de charla ayer. Me llamo Armando Pérez. Tengo 16 años y vivo en Panamá. Me gusta mucho ir al cine, escuchar música y tener muchos amigos alrededor del mundo. Por favor, escríbeme. Dime todas las cosas interesantes que has hecho.

Respuesta:

_____

_____

_____

_____

_____

_____

_____

5   ¿Qué han hecho?

Usa el pretérito perfecto para decir lo que han hecho las siguientes personas. Sigue el modelo.

MODELO   Uds. / viajar por Europa
          Uds. han viajado por Europa.

1. tú / ir de camping

   _____

   _____

2. Beatriz / ver tres museos de arte

   _____

   _____

3. mis amigos / trabajar en un supermercado

   _____

   _____

4. yo / escribir muchos párrafos en español

   _____

   _____

5. Jorge / registrarse en la Facultad de Arte

   _____

   _____

6. nosotros / sacar buenas calificaciones

   _____

   _____

7. Amalia / mantener una buena actitud

   _____

   _____

8. yo / leer seis libros

   _____

   _____

6 ¿Qué han aprendido?

Todos han aprendido muchas cosas este año. Mira los dibujos y escribe oraciones en el pretérito perfecto, diciendo lo que han aprendido las siguientes personas. Sigue el modelo.

MODELO   Claudia
Claudia ha aprendido a freír plátanos.

1. Sofía y Darío

_____

_____

4. nosotros

_____

_____

2. Héctor

_____

_____

5. Gloria

_____

_____

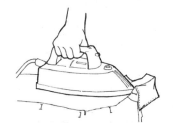

3. tú

_____

_____

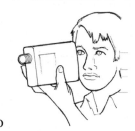

6. yo

_____

_____

7 Nuevas tecnologías

Lee el siguiente artículo y contesta las preguntas.

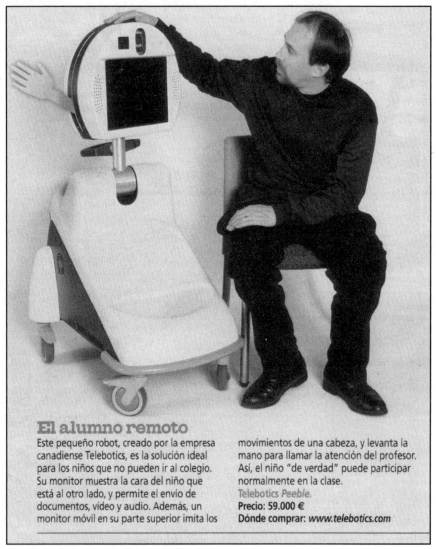

El alumno remoto

Este pequeño robot, creado por la empresa canadiense Telebotics, es la solución ideal para los niños que no pueden ir al colegio. Su monitor muestra la cara del niño que está al otro lado, y permite el envío de documentos, vídeo y audio. Además, un monitor móvil en su parte superior imita los movimientos de una cabeza, y levanta la mano para llamar la atención del profesor. Así, el niño "de verdad" puede participar normalmente en la clase.

Telebotics *Peeble*.
Precio: 59.000 €
Dónde comprar: *www.telebotics.com*

1. ¿Qué empresa ha creado el alumno remoto?

   _____

2. ¿Para quiénes han creado este robot?

   _____

3. ¿Qué muestra el monitor del robot?

   _____

4. ¿Qué más puede hacer el robot para que el niño pueda participar en la clase?

   _____

Lección A

8 Dichos y proverbios

Completa el siguiente diálogo con las expresiones apropiadas de la caja.

> *Eso es chino para mí* hablo hasta por los codos *les costó un ojo de la cara*
>
> *más vale tarde que nunca* No lo tomes a pecho *Si lo sabré yo*
>
> **Siempre se sale con la suya** te estoy tomando el pelo

VERO: ¡Por fin llegas, Toño! Te estuve esperando durante veinte minutos.

TOÑO: Bueno, (1)_____,
¿verdad? A propósito, ¿dónde está Ana?

VERO: Está en un globo volando alrededor del mundo.

TOÑO: ¡No! ¿Cómo? ¿Cuándo?

VERO: Toño, (2)_____.
Ella está en casa con su nueva computadora.

TOÑO: ¿Tiene una computadora nueva?

VERO: Sí. Sus padres no querían comprarle una computadora nueva pero ella insistió mucho y
por fin le compraron una.

TOÑO: ¡Esa Ana! (3)_____.

VERO: Y no es cualquier computadora. Es el último modelo, el que tiene una pantalla muy grande.

TOÑO: Seguro (4)_____.
¿Cuánto cuesta?

VERO: ¡(5)_____! Yo no
soy vendedora.

TOÑO: No, no eres vendedora. Eres comentarista.

VERO: ¿Qué quieres decir? ¿Que (6)_____?

TOÑO: No, no hablas mucho. Pero sí te gusta hablar sobre las demás personas.

VERO: Si vas a molestarme, me voy.

TOÑO: Ay, Vero. (7)_____.
Je suis désolé, mademoiselle.

VERO: ¿Qué dices? (8)_____.

TOÑO: Pues, dije que lo siento.

9 Entre amigos

Escribe un diálogo entre dos amigos(as) que no se han visto en mucho tiempo. Las dos personas deben (1) saludarse, (2) decir lo que han hecho, (3) contar una noticia, (4) usar uno de los proverbios de la lección.

_____

_____

_____

_____

_____

_____

_____

_____

_____

_____

_____

_____

_____

Lección B

1 Estudiar en España

Completa el siguiente diálogo con las palabras de la caja.

alojarme **asistir** carrera **enterarme** internet	
magnífico más vale **profesor** **quisiera** **razón**	

CRISTINA: ¿Ya has decidido qué (1)_____ estudiar?

DAVID: Sí, quiero estudiar para ser (2)_____ de español.

CRISTINA: ¡Me parece (3)_____! ¿Ya sabes a qué universidad

quieres (4)_____?

DAVID: Pues, (5)_____ estudiar en España, pero no sé en

qué universidad.

CRISTINA: Pues, (6)_____ que consigas información pronto.

DAVID: Sí, tienes (7)_____. Necesito

(8)_____ sobre las diferentes universidades y

averiguar dónde podría (9)_____.

CRISTINA: Puedes empezar buscando información en la

(10)_____. Yo te ayudo.

DAVID: Gracias, Cristina.

2 ¿Dónde puedes seguir estudiando?

Pon un círculo alrededor de la letra de la frase que completa correctamente cada oración.

1. Una vez que hayas decidido qué estudiar, debes _____ las instituciones donde puedes estudiar.

   A. buscar   B. conseguir   C. asistir

2. Puedes estudiar en los Estados Unidos o en el _____.

   A. hispano   B. intercambio   C. extranjero

3. Debes _____ información para saber cómo es la vida en ese país.

   A. decidir   B. navegar   C. conseguir

4. Hay muchas universidades que ofrecen programas de _____.

   A. intercambio   B. árabe   C. consejos

5. Para recibir más información, puedes consultar en _____.

   A. el celular   B. la Web   C. la oficina de correos

3 ¿Qué quisieras?

Contesta las siguientes preguntas.

1. ¿Quisieras estudiar o trabajar en un país de habla hispana?

   _____

2. ¿Qué trabajo podrías hacer en un país hispano?

   _____

3. ¿A qué país hispano te gustaría ir?

   _____

4. ¿A quién consultarías para recibir más información sobre ese país?

   _____

4 Trabajar en el extranjero

¿Hay programas de intercambio para trabajar? Lee el siguiente aviso y luego indica si las oraciones son ciertas (C) o falsas (F).

TRABAJA EN E.E.U.U.

PROGRAMA WORK AND TRAVEL

USE
Universal Student Exchange

¿Qué es el work and travel?

Es un programa diseñado para estudiantes de diferentes partes del mundo, para que viajen y trabajen en los EE.UU durante sus vacaciones de verano por un período máximo de 5 meses (4 para trabajar y un mes adicional para viajar) con las facilidades que otorga la visa J1.

Requisitos indispensables:
- Estudiante Universitario o de Instituto superior (No de último año)
- Tener entre 18 y 27 años
- Tener un nivel Intermedio- avanzado de inglés

Puestos de trabajo:
- En Gastronomia
- Cocinero
- Alimentos y Bebidas
- Instructores de Ski
- Andariveles
- Cajeros
- Otros

Los distintos empleadores que vendrán a contratar en Agosto y Septiembre:
- Bear Valley (Ski Resort - Colorado)
- Crested butte (Ski Resort - Utah)
- Solitude (Ski Resort - Utah)
- Waterville (Ski Resort - New Hampshire)
- Universal Studios (Orlando)
- Four Seasons at Jackson Hole
- Portofino Bay Hotel
- Hard Rock Cafe.

Charlas informativas:

• Fecha:	Lunes 4, Miércoles 6 y Domingo10 de Agosto
• Hora:	Lunes y Miércoles a las19 Hrs, Domingo a las 12:00 Hrs.
• Lugar:	Hotel Leonardo da Vinci, Málaga 194, Las Condes. Metro Alcántara

En las charlas se brindará toda la información acerca de los programas, el proceso de aplicación y los costos respectivos.

_____ 1. El *work and travel* es un programa para estudiantes de diferentes países, para que trabajen en los Estados Unidos.

_____ 2. Los estudiantes pueden trabajar solamente durante 3 meses en el verano.

_____ 3. Es necesario que el estudiante tenga menos de 18 años.

_____ 4. Es importante que el estudiante sepa inglés bastante bien.

_____ 5. Muchos de los empleos son en lugares turísticos.

_____ 6. Los estudiantes que estén interesados deberán participar en una charla en el Hotel Four Seasons.

5 Oportunidades

Mira los siguientes avisos para diferentes empleos. Escribe en los espacios el número del aviso que corresponda con la descripción. Para cada descripción, puede haber más de un aviso.

A.

Empleos
MANAGER
para departamentos en Aurora, necesita hablar inglés-español y vivir en los departamentos. Se ofrece salario de $500 al mes, más un departamento de 2 recámaras gratis. Llamar a Lisa al **303-564-2059**

B.

Auxiliar de Contabilidad

R E Q U I S I T O S :

- Sexo femenino
- Recién egresada de Licenciatura de contaduría
- Experiencia de 2 años en contabilidad general
- Experiencia en proceso de nóminas
- Conocimientos básicos de impuestos
- Conocimientos de Excel y Word
- Inglés 50%

PRESENTARSE CON CURRICULUM VITAE EN AV. DE LOS CEDROS #1650, PARQUE INDUSTRIAL INTERMEX. FAX 624-10-91, CORREO ELECTRONICO enevarez@cherrycorp.com

C.

SECRETARIA EJECUTIVA BILINGÜE

Nuestro cliente, filial chilena de empresa europea, requiere incorporar una profesional de primer nivel para asumir como Secretaria Ejecutiva Bilingüe, reportando directamente a los Directores de la Organización. La sede del cargo es Santiago.

D.

OTROS		
Auxiliar para Estudio Jurídico.	Sexo masculino Hasta 30 años sueldo inicial $500 Lunes a Viernes de 8 a 18hs. Excelente manejo administrativo, dominio de PC e internet, bilingüe. Enviar CV solo por correo, con foto actualizada y carta manuscrita a:	**Cerrito 512 PB recepción. (1010) Cap. Fed.**

_____ 1. Es necesario que la persona sea bilingüe.

_____ 2. La persona trabajará para una empresa europea.

_____ 3. No es importante que la persona sea hombre o mujer.

_____ 4. Buscan una persona menor de 30 años.

_____ 5. Quieren a una señorita que haya estudiado contaduría.

6 Cómo escoger una universidad

Saber a qué universidad asistir no es siempre fácil. Lee la siguiente página Web sobre este tema. Luego, contesta las preguntas.

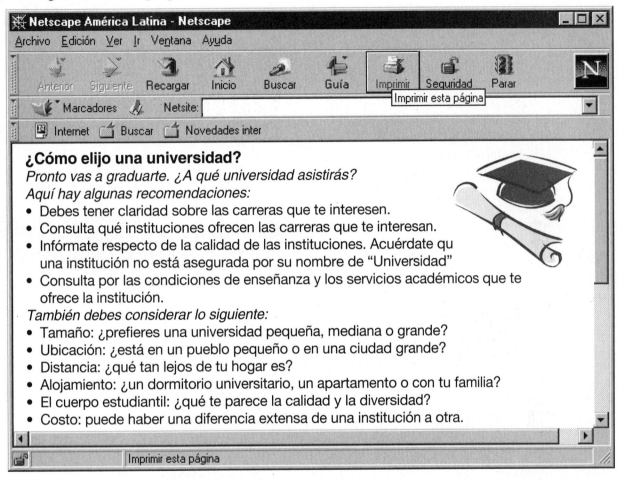

1. ¿Qué carreras te interesan?

   _____

2. ¿Hay una escuela en tu comunidad que ofrece esas carreras? ¿Qué reputación tiene?

   _____

3. ¿Cómo podrías consultar la calidad de enseñanza de una institución?

   _____

4. ¿Prefieres estudiar en una universidad pequeña o grande?

   _____

5. ¿Dónde quisieras alojarte?

   _____

6. ¿Cómo te gustaría que fuera el cuerpo estudiantil?

   _____

7   ¿A cuál te gustaría asistir?

Lee la información de las siguientes universidades hispanas. Luego escribe un párrafo corto diciendo a cuál de ellas te gustaría asistir y por qué.

_____

_____

_____

_____

_____

_____

8 Solicitud de admisión

Completa la siguiente solicitud de admisión de una universidad puertorriqueña.

Solicitud de Admisión

Nombre

Primer apellido

Segundo apellido

Fecha de nacimiento

Lugar de nacimiento

Nacionalidad

Dirección postal

Teléfono

E-mail

Semestre al que solicita admisión

Historial académico

Organizaciones y actividades extracurriculares

Experiencias de trabajo

---

9 Querido diario

Escribe un párrafo en tu diario *(diary or journal)* sobre lo que piensas hacer cuando te gradúes del colegio. ¿Piensas asistir a una universidad? ¿Trabajar? ¿Viajar? Si piensas asistir a una universidad, describe la universidad ideal y lo que estudiarás. Si piensas trabajar, describe tu empleo ideal. Usa el tiempo futuro para hablar sobre lo que harás.

Querido diario:

_____

_____

_____

_____

_____

_____

_____

_____

_____

_____

_____

_____

_____

_____